LA TÊTE PERDUE DE
DAMASCENO MONTEIRO

Manolo, un vieux gitan qui vit dans un terrain vague en bordure de Porto, découvre un matin le cadavre d'un homme décapité. Firmino, journaliste pour un quotidien populaire, est dépêché sur place et commence une enquête qui le mène à une entreprise d'import-export : *Stones of Portugal*. Un peu plus tard, on repêche une tête dans le fleuve, qu'un appel anonyme dit être celle de Damasceno Monteiro, garçon de course chez *Stones of Portugal*.

Le roman prend soudain une autre tournure lorsque le journal où travaille Firmino décide d'aider la famille Monteiro à trouver un avocat et à se constituer partie civile. Entre alors en scène un personnage haut en couleurs, l'obèse avocat Loton, de son vrai nom Don Fernando – un individu étrange, pétri de contradictions, un rien anarchiste, homme de lettres, fier de ses nobles origines mais tout dévoué à la cause des démunis en tous genres, et profondément obsédé par ce qu'il appelle la Norme juridique.

Au fil des discussions entre Firmino et Don Fernando, le récit se dédouble. D'une part, l'enquête continue et mène vers une réflexion ténue sur les implications politiques de l'affaire : la marginalité sociale, la question des minorités ethniques et les abus policiers. D'autre part, les discours de l'avocat ouvrent de multiples parallèles (avec la littérature, la philosophie, les jeux de cartes, etc.) et questionnent la place de la fiction au sein du réel et les métamorphoses de données réelles dans l'espace littéraire. Ainsi, partant d'un fait divers authentique, Antonio Tabucchi donne à ce thriller une ampleur narrative exceptionnelle. Il transforme une enquête policière en une quête philosophique, au centre de laquelle la question essentielle est : quel sens donner à une humanité qui se cache sous le voile de la torture et doit-on se résigner face à la barbarie des hommes ?

*Antonio Tabucchi est né à Pise en 1943. Il partage son temps entre Florence et Lisbonne. Il a écrit une quinzaine de romans et récits traduits dans le monde entier, dont certains ont été adaptés au cinéma (*Nocturne Indien, Requiem, *et* Pereira prétend*) et il est l'auteur de plusieurs* **essais sur Fernando Pessoa.**

Antonio Tabucchi

LA TÊTE PERDUE
DE DAMASCENO
MONTEIRO

ROMAN

*Traduit de l'italien
par Bernard Comment*

Christian Bourgois éditeur

TEXTE INTÉGRAL

TITRE ORIGINAL
La testa perduta di Damasceno Monteiro
© ORIGINAL
1997, Antonio Tabucchi

ISBN 2-02-032460-1
(ISBN 2-267-01405-X, 1ʳᵉ édition)

© Christian Bourgois éditeur, 1997, pour la traduction française

à Antonio Cassese et à Manolo le Gitan

Science-fiction

O marciano encontrou-me na rua
e teve mêdo de minha impossibilidade humana.
Como pode existir, pensou consigo, um ser
que no existir põe tamanha anulação de exis-
*   tência ?*

(Le Martien m'a rencontré dans la rue
et a eu peur de mon impossibilité humaine.
Comment peut exister, a-t-il pensé pour lui-
    même, un être
qui, dans l'existence, met une telle annulation
    de l'existence ?)

Carlos Drummond de Andrade

I

Manolo le Gitan ouvrit les yeux, regarda la faible lumière qui filtrait à travers les interstices de la baraque et se leva en essayant de ne pas faire de bruit. Il n'avait pas besoin de se vêtir, car il dormait tout habillé, la veste orange que lui avait offerte l'année précédente Agostinho da Silva, dit Franz le Teuton, dompteur de lions édentés du Cirque Maravilhas, lui servait dorénavant d'habit et de pyjama. À la lueur de l'aube, il chercha en tâtonnant ses sandales transformées en savates et qu'il utilisait comme chaussures. Il les trouva et les enfila. Il connaissait la baraque par cœur, et pouvait se déplacer dans l'obscurité en respectant l'exacte géographie des misérables meubles qui l'occupaient. Il avança tranquillement en direction de la porte, jusqu'au moment où son pied droit heurta la lampe à pétrole qui traînait à même le sol. Putain de bonne femme, dit entre ses dents Manolo le Gitan. C'était son épouse qui, la veille au soir, avait voulu laisser la lampe à pétrole à côté du matelas sous le prétexte que les ténèbres lui donnaient des cauchemars et la faisaient rêver à ses morts. Avec la lampe à peine allumée, disait-elle, les fantômes de ses morts n'avaient pas le courage de venir la visiter et ils la laissaient dormir en paix.

— Que fait El Rey à pareille heure, âme en peine de nos morts andalous ?

Son épouse avait la voix pâteuse et incertaine de quelqu'un qui est en train de se réveiller. Elle lui parlait toujours en *geringonça*, un mélange d'argot gitan, de portugais et d'andalou. Et elle l'appelait El Rey.

Roi d'un beau merdier, aurait eu envie de répliquer Manolo, mais il ne dit rien. Roi d'un beau merdier, en effet, alors qu'autrefois, ça oui qu'il était le Roi, quand les gitans étaient respectés, quand les siens parcouraient librement les plaines d'Andalousie, fabriquaient des bijoux en cuivre qu'ils vendaient dans les villages et que son peuple s'habillait en noir avec de nobles chapeaux de feutre, quand le couteau n'était pas une arme de défense dans la poche, mais seulement un joyau d'honneur fait d'argent ciselé. Ça, c'était l'époque du Roi. Mais à présent ? Oui, à présent qu'ils étaient contraints au vagabondage, qu'on leur rendait la vie impossible en Espagne, et peut-être davantage encore au Portugal où ils s'étaient réfugiés, qu'ils ne pouvaient plus fabriquer ni bijoux ni mantilles, qu'ils devaient s'arranger avec de petits larcins et l'aumône, quel foutu Roi il était, Manolo ? Le roi d'un beau merdier, se répéta-t-il dans la tête. La municipalité lui avait concédé ce terrain vague plein de détritus aux marges de la ville, à la périphérie des dernières petites maisons, elle le lui avait concédé comme un acte de charité, il se souvenait bien de la tête du fonctionnaire qui signait la concession d'un air à la fois condescendant et apitoyé, douze mois de concession à un prix symbolique mais, que Manolo se le rappelle bien, la municipalité ne s'engageait aucunement à construire les infrastructures, l'eau et le gaz on n'en parlait même pas, et pour chier ils n'avaient qu'à aller dans la pinède, de toute façon les gitans y étaient habitués, du même coup ils fertiliseraient le terrain mais, attention, la police était au courant de leurs petits trafics et les aurait à l'œil.

Roi d'un beau merdier, pensa Manolo, avec ces baraques de carton couvertes de tôle qui, l'hiver, ruisselaient d'humidité, et devenaient des fours en été. Les grottes sèches et salubres de son enfance à Granada n'existaient plus, et ça, en comparaison, c'était un camp de réfugiés, ou plutôt, un camp de concentration, se dit Manolo, roi d'un beau merdier.

— Que fait El Rey à pareille heure, âme en peine de nos morts andalous ? répéta sa femme.

Maintenant, elle était tout à fait réveillée et avait les yeux écarquillés. Avec ses cheveux gris répandus sur la poitrine, comme elle les arrangeait pour dormir, après avoir retiré les épingles de sa coiffure, et avec cette houppelande rose qu'elle mettait pour la nuit, c'était elle qui ressemblait à un spectre.

— Je vais pisser, répondit laconiquement Manolo.

— Ça te fera du bien, dit sa femme.

Manolo se remit les parties en place dans le caleçon, il sentait son sexe durci et gonflé qui lui écrasait les testicules au point de lui faire mal.

— Je serais encore capable de *finfar*, dit-il, tous les matins je me réveille ainsi, avec le *mangalho* dur comme une corde, je serais encore capable de *finfar*.

— C'est la vessie, répondit sa femme, tu es vieux, Rey, tu te crois jeune mais tu es vieux, plus vieux que moi.

— Je serais encore capable de *finfar*, répliqua Manolo, mais pas avec toi, tu as la nature pleine de toiles d'araignée.

— Alors va pisser, conclut sa femme.

Manolo se gratta la tête. Depuis quelques jours il avait une éruption cutanée formée de petits boutons roses qui, de la nuque, était remontée jusqu'à la calvitie et lui provoquait un prurit insupportable.

— J'emmène Manolito ? susurra-t-il à sa femme.

— Laisse-le dormir, ce pauvre petit, répondit-elle.

— Manolito, il aime bien venir pisser avec son grand-père, se justifia Manolo.

Il regarda le matelas posé à même le sol sur lequel dormait Manolito et ressentit un élan de tendresse. Le petit avait huit ans, il était tout ce qui lui restait de descendance. On n'aurait même pas dit un gitan. Il avait les cheveux foncés et lisses, ça oui, comme un vrai gitan, mais ses yeux étaient d'un bleu délavé, comme devait les avoir sa mère, que Manolo n'avait jamais connue. Paco, son fils unique, avait eu cet enfant d'une prostituée de Faro, une Anglaise, disait-il, qui faisait le trottoir à Gibraltar et dont Paco était devenu le protecteur. Ensuite la fille avait disparu en Angleterre, rapatriée par la police, et Paco s'était retrouvé avec cet enfant sur les bras. Il l'avait refilé aux grands-parents, parce qu'il avait une affaire importante à conclure dans l'Algarve, du trafic de cigarettes, mais il n'était plus jamais revenu de cette expédition. Et Manolito était resté avec eux.

— Ça lui plaît, de voir le soleil se lever, répéta Manolo de façon mécanique.

— Laisse-le dormir, ce pauvre petit, dit sa femme, c'est à peine l'aube, tu n'as donc pas de cœur ? Va soulager ta vessie.

Manolo le Gitan ouvrit la porte de la baraque et sortit dans l'air du matin. Le terrain vague était désert. Tout le campement dormait. Le petit chien bâtard qui s'était fait adopter de force par le campement se leva de son tas de sable et vint à sa rencontre en frétillant. Manolo claqua des doigts et le petit chien se dressa sur les pattes arrière en remuant encore plus la queue. Alors Manolo traversa le terrain vague, suivi par le petit bâtard, et prit le sentier conduisant le long de la pinède municipale sur le flanc de la colline qui descendait vers le Douro. Ces quelques modestes hectares avaient été pompeusement appelés Parc Municipal et présentés comme le poumon vert de la localité. En réalité, il s'agissait d'une zone abandonnée, sans aucun contrôle et privée de sécurité. Chaque matin, Manolo trouvait par terre des préservatifs et des seringues que la municipalité négligeait de faire ramasser. Il commença de descendre le petit sentier bordé de gros buissons de genêts. On était en plein mois d'août, et les genêts, qui sait pourquoi, continuaient de fleurir comme si ç'avait été le printemps. Manolo respira l'air en expert. Il était capable de capter les odeurs les plus diverses de la nature, comme le lui avait enseigné la vie sauvage. Il énuméra : genêt, lavande, romarin. En dessous de lui, au bout de la pente, le Douro brillait dans le soleil oblique à peine apparu entre les collines. Deux ou trois grandes embarcations de marchandises qui venaient de l'intérieur et se dirigeaient vers Porto avaient les voiles gonflées, elles semblaient pourtant immobiles sur le ruban du fleuve. Elles transportaient des tonneaux de vin pour les caves de la ville, Manolo le savait, un vin qui se transformerait bientôt en bouteilles de porto et prendrait les routes du monde. Manolo éprouva une grande nostalgie pour cette vaste planète qu'il n'avait jamais découverte. Des ports inconnus, lointains, pleins de nuages, où tombaient les brumes, comme il l'avait vu une fois dans un film. Alors que lui, il ne connaissait que la lumière ibérique, blanche et aveuglante, la lumière de son Andalousie et la lumière du Portugal, les maisons blanchies à la chaux, les chiens sauvages, les chênes-lièges et les policiers qui les chassaient de-ci de-là.

Pour pisser, il avait choisi un grand chêne qui jetait son ombre large sur un terrain herbeux, juste en bordure de la pinède. Qui sait pourquoi ça le rassurait de pisser contre le tronc de ce chêne, peut-être parce que c'était un arbre beaucoup plus âgé que lui, et Manolo aimait qu'il y eût au monde des êtres vivants beaucoup plus âgés que lui, même s'il s'agissait d'un arbre. Toujours est-il qu'il éprouvait un sentiment de bien-être, car il savait qu'une forme de tranquillité allait le gagner tandis qu'il se soulagerait. Il se sentait en harmonie avec lui-même et avec l'univers. Il s'approcha du gros tronc et urina avec plaisir. C'est à ce moment-là qu'il vit une chaussure. Ce qui attira son attention, c'est qu'on n'aurait pas dit une vieille chaussure abandonnée, comme on en trouvait parfois sur ce terrain, non, c'était une chaussure cirée, brillante, d'un cuir qui lui parut être du chevreau, et dressée comme si elle chaussait un pied. Elle dépassait d'un buisson.

Manolo s'approcha avec précaution. Son expérience lui enseignait qu'il pouvait s'agir d'un ivrogne ou d'un malfaiteur à l'affût. Il regarda par-dessus les buissons sans parvenir à distinguer quoi que ce soit. Il prit un morceau de bois et commença d'écarter les branches. De la chaussure, qui était en fait une bottine, il remonta aux deux jambes emballées dans une paire de jeans moulants. Le regard de Manolo arriva jusqu'à la ceinture et s'y arrêta un instant. C'était une ceinture de cuir clair, avec une grosse boucle d'argent représentant la tête d'un cheval et sur laquelle on pouvait lire « Texas Ranch ». Manolo parvint péniblement à déchiffrer les mots et les grava bien dans sa mémoire. Puis il continua son inspection avec son bâton. Le tronc du corps était revêtu d'un tee-shirt bleu à manches courtes portant une inscription étrangère, *Stones of Portugal*, et Manolo la regarda longuement pour bien se l'imprimer dans la tête. Il continua de fouiller au moyen de son bâton, avec calme et précaution, comme s'il avait eu peur de faire mal à ce corps étendu ventre en l'air parmi les buissons. Il arriva à la hauteur du cou, mais ne put continuer. Car le corps n'avait pas de tête. Il y avait une coupure nette qui n'avait d'ailleurs provoqué que peu de sang, juste quelques grumeaux foncés autour desquels les mouches bourdonnaient. Manolo retira son bâton et laissa les buissons recouvrir cette misère. Il s'éloigna de quelques mètres, s'assit contre le tronc du chêne et se mit à penser. Pour mieux penser, il sortit sa pipe et la remplit de cigarettes « Definitivos » qu'il défit avec soin. Autrefois il aimait bien fumer du tabac haché dans sa pipe, mais cela coûtait dorénavant trop cher, et il en était réduit à défaire les cigarettes de tabac brun qu'il réussissait à acheter au détail dans le magasin de Monsieur Francisco, dit Conchié parce qu'il se promenait en serrant les fesses comme s'il était sur le point de se chier dessus. Manolo bourra sa pipe, tira deux ou trois fois dessus, et médita. Il médita sur ce qu'il avait découvert et pensa qu'il n'avait pas besoin d'aller de nouveau regarder. Ce qu'il avait vu lui restait et suffisait. Pendant ce temps, l'heure tournait, les cigales avaient commencé leur insupportable stridulation et une forte odeur de lavande et de romarin régnait autour de lui. Sous ses yeux se déployait le ruban brillant du fleuve, une légère brise chaude s'était levée, les ombres des arbres raccourcissaient.

Manolo pensa combien il était heureux que son petit-fils ne l'ait pas accompagné. Les enfants ne doivent pas voir ces atrocités, se dit-il, pas même les enfants gitans. Il se demanda quelle heure il pouvait être et interrogea le disque du soleil. Alors seulement il se rendit compte que l'ombre s'était déplacée, qu'il se trouvait en plein soleil et dégoulinait de transpiration. Il se leva péniblement et se dirigea vers le campement. Il y avait beaucoup d'agitation, à cette heure, sur le terrain vague. Les vieilles baignaient les enfants dans les tubs et les mères préparaient le repas. Les gens le saluaient, mais il ne répondit pour ainsi dire à personne. Il entra dans la baraque. Sa femme était en train d'habiller Manolito d'un vieux costume andalou, car la communauté avait décidé d'envoyer les enfants vendre des fleurs à Porto et ils faisaient plus d'effet lorsqu'ils étaient parés des costumes traditionnels.

— J'ai trouvé un mort dans la pinède, dit Manolo à voix basse.

Sa femme n'avait pas compris. Elle peignait Manolito et lui aspergeait les cheveux de brillantine.

— Qu'est-ce que tu dis, Rey ? demanda la vieille.

— Un cadavre, à côté du chêne.

— Laisse-le pourrir, répondit sa femme, tout est pourriture ici autour.

— Il n'a pas de tête, dit Manolo, on la lui a coupée net, zac.

Et il fit un geste de sa main sur le cou. La vieille le regarda en écarquillant les yeux.

— Qu'est-ce que tu veux dire ? demanda-t-elle.

Manolo porta la main à son cou comme si c'était un couteau et répéta : zac.

La vieille se redressa et éloigna Manolito.

— Tu dois aller à la police, dit-elle d'un ton décidé.

Manolo la regarda avec commisération.

— El Rey ne va pas à la police, dit-il avec orgueil, le Manolo des Gitans libres d'Espagne et du Portugal ne va pas dans une caserne de police.

— Et alors ? demanda la vieille.

— Alors j'aviserai Monsieur Francisco, répliqua Manolo, ce diable de Conchié a le téléphone et il est toujours en contact avec les flics, qu'il les prévienne, puisqu'il est tellement ami avec eux.

La vieille le regarda d'un air affligé et ne dit rien. Manolo se leva et ouvrit la porte de la baraque. Une fois qu'il fut sur le seuil, et tandis que la lumière de midi l'inondait, sa femme lui dit :

— Tu lui dois deux mille escudos, Rey, il t'a donné deux bouteilles de *giripiti* à crédit.

— Qu'est-ce qu'on s'en fiche, de deux bouteilles d'eau-de-vie, répondit Manolo, il peut aller se faire foutre.

II

Firmino était arrêté à un feu rouge du Largo do Rato. Un feu interminable, il le savait, et le taxi qui se trouvait derrière lui manifestait son impatience en venant presque coller son pare-chocs au sien. Firmino comprenait qu'il fallait faire preuve de patience avec ces travaux de la municipalité promettant une ville propre et ordonnée, réalisés pour l'Exposition Internationale qui devait y avoir lieu. Ce serait un événement mondial, annonçaient les panneaux publicitaires installés à tous les points sensibles de la circulation, un de ces événements qui allaient faire de Lisbonne une ville du futur. Pour le moment, Firmino connaissait seulement son futur à lui, et ignorait tout de l'autre. Il allait devoir attendre au moins cinq minutes au feu, jusqu'à ce que le conducteur de la pelle mécanique se range de côté et, même si le feu passait au vert, il n'y avait rien à faire, on devait patienter. Aussi il se résigna, alluma une cigarette « Multifilter » dont un ami suisse lui avait envoyé une cartouche, chercha sur la radio le programme « Les auditeurs nous demandent », histoire de se tenir au courant de ce qui se passait, et jeta un coup d'œil sur l'horloge électronique en haut du bâtiment qui lui faisait face. Elle indiquait deux heures de l'après-midi, et une température de trente-huit degrés. Bah ! c'était le mois d'août. Firmino revenait d'une semaine de vacances passée avec son amie dans un petit village de l'Alentejo, des journées particulièrement tonifiantes, ils avaient même eu les grandes marées, et l'Alentejo ne l'avait vraiment pas déçu, comme d'habitude. Ils avaient découvert un gîte rural sur la côte, les propriétaires étaient des Allemands, il y avait seulement neuf chambres, et puis la pinède, la plage déserte, l'amour en plein air. Firmino se regarda dans le rétroviseur. Il avait un beau bronzage, se sentait en forme, peu lui importait l'Exposition Internationale, ce dont il avait envie, c'était de reprendre son travail au journal. Ce n'était du reste pas seulement une envie, mais une nécessité. Il avait dépensé tout son dernier salaire pendant les vacances, et se retrouvait sans le sou.

Le feu passa au vert, le bulldozer se rangea et Firmino démarra. Il fit le tour de la place, prit la rue Alexandre-Herculano et s'engagea dans l'Avenida da Liberdade. Au Saldanha, il se trouva pris dans un embouteillage. Il y avait eu un accident sur la voie principale, et toutes les voitures cherchaient à se glisser dans les contre-allées. Quant à lui, il choisit la voie réservée aux autobus, espérant qu'aucun agent de police ne se trouverait dans les parages. Firmino avait récemment fait des comptes avec Catarina et s'était aperçu que les contraventions représentaient près de dix pour cent de son faible revenu mensuel. Mais peut-être qu'à deux heures de l'après-midi et, par cette chaleur, il n'y aurait pas d'agent sur l'Avenida. Quand il passa devant la Bibliothèque Nationale, il ne put s'empêcher de ralentir pour la regarder avec nostalgie. Il pensa aux après-midi passés dans la salle de lecture à étudier les romans de Vittorini, et à son vague projet d'écrire un essai dont il avait déjà le titre, *L'Influence de Vittorini sur le roman portugais d'après-guerre*. En même temps que cette nostalgie, ce sont les relents du cabillaud frit du self-service de la Bibliothèque où il avait mangé pendant des semaines entières qui remontèrent dans ses souvenirs. Le cabillaud et Vittorini. Mais, pour l'heure, le projet en était resté là. Qui sait, peut-être allait-il le reprendre quand il aurait un peu de temps libre.

Arrivé au Lumiar, il longea les bâtiments du Holiday Inn. Un machin épouvantable. Des Américains moyens y débarquaient, à la recherche du pittoresque de Lisbonne, et se retrouvaient au milieu d'un quartier défiguré par les nouvelles constructions, la voie suspendue qui conduisait à l'aéroport et le second anneau du périphérique. Trouver une place de stationnement était toujours un problème. Il se gara devant un portail électronique en cherchant à ne pas bloquer l'accès. Sa voiture dépassait d'un bon demi-mètre, mais tant pis. Si on la lui enlevait pour la fourrière, le pourcentage des contraventions sur son revenu augmenterait d'au moins deux points, ce qui signifiait qu'il ne pourrait pas s'acheter le dernier volume du *Grande Dizionario della Lingua Italiana*. C'était un outil fondamental pour étudier Vittorini. Il patienterait. À quelques mètres de là s'élevait le bâtiment du journal, une construction des années soixante-dix, laide et vulgaire, en béton, sans aucune personnalité. Tous les étages étaient occupés par des gens ordinaires, qui travaillaient dans le centre et utilisaient ces logements uniquement pour y dormir. Quelques-uns des locataires, pour donner un peu de grâce à leurs sordides balcons, y avaient installé un parasol et des chaises en plastique. Sur la véranda du dernier étage, contrastant avec les embellissements petits-bourgeois, se détachait une pancarte aux caractères rouge vif qui disait : *O Acontecimento*, « Ce que le citoyen doit savoir ».

C'était son journal, et il s'y rendit d'un pas assuré. Il savait qu'il aurait à affronter la téléphoniste mamelue et paralytique qui, de sa chaise roulante, dirigeait toutes les sections du journal, puis qu'il devrait, avant de rejoindre son cagibi, franchir le bureau du *doutor* Silva, le rédacteur en chef, qui utilisait son nom maternel, Huppert, car un nom français faisait plus élégant, et qu'enfin, une fois dans son bureau, il éprouverait cette insupportable claustrophobie qu'il ressentait toujours, parce que le petit cube à fausses parois dans lequel on l'avait confiné n'avait pas de fenêtres. Firmino savait tout cela, et pourtant il avançait avec assurance.

La paralytique s'était endormie dans sa chaise roulante. Devant son abondante poitrine se trouvait un petit récipient en métal, graisseux sur les bords. Il était vide. C'était le déjeuner que le fast food du coin venait lui livrer. Firmino passa tout droit avec soulagement et se glissa dans l'ascenseur. Il s'agissait d'un ascenseur sans porte, comme les monte-charge. Sous les boutons, une plaque en acier portait l'inscription : « L'usage de l'ascenseur est interdit aux mineurs non accompagnés. » À côté, quelqu'un avait écrit au feutre : *fuck you*. Par compensation, l'architecte qui avait conçu ce splendide bâtiment avait équipé l'ascenseur d'une petite musique qui sortait d'un minuscule haut-parleur. C'était toujours la même mélodie : *Strangers in the Night*. L'ascenseur s'arrêta au troisième étage. Une dame âgée, avec une permanente colorée qui dégageait un terrible parfum, entra.

— Vous descendez ? demanda la dame sans même saluer.

— Je monte, répondit Firmino.

— Moi je descends, dit la dame d'un ton péremptoire. Et elle appuya sur le bouton pour descendre.

Firmino se résigna et descendit avec elle, la dame sortit sans lui dire au revoir et il remonta. Quand il arriva au quatrième étage, il demeura indécis sur le palier. Que faire ? se demanda-t-il. Et s'il était allé à l'aéroport et avait pris un avion pour Paris ? Paris, les grands magazines, les envoyés spéciaux, les voyages à travers le monde. Genre journaliste cosmopolite. Il arrivait parfois que Firmino eût de telles idées, changer de vie une fois pour toutes, un choix radical, un coup de tête. Mais le problème était qu'il n'avait pas d'argent et que les billets d'avion coûtaient cher. Paris aussi. Firmino poussa la porte et entra. Le local était ce qu'on appelle un « open space ». Mais il n'avait bien sûr pas été conçu ainsi à l'origine. On l'avait adapté en abattant les cloisons de l'appartement, qui n'avaient d'ailleurs pas dû être difficiles à défoncer, puisque c'était du galandage. L'idée avait été celle de l'entreprise qui y logeait précédemment, une firme d'exportation de thon en conserve, et le journal en avait hérité dans cet état, de sorte que le directeur avait dû faire contre mauvaise fortune bon cœur. Les deux bureaux situés devant l'entrée étaient inoccupés. Au premier était d'habitude assise une femme d'âge mûr qui faisait office de secrétaire, et à l'autre un journaliste affecté au seul ordinateur que le journal possédât. Le troisième bureau était celui de Monsieur Silva, ou plutôt Huppert, ainsi qu'il signait dans le journal.

— Bonjour, Monsieur Huppert, dit aimablement Firmino.

Monsieur Silva le dévisagea sévèrement.

— Le directeur est furieux, dit-il entre ses dents.

— Pourquoi ? demanda Firmino.

— Parce qu'il ne savait pas où vous joindre.

— Mais j'étais sur la côte, se justifia Firmino.

— On ne peut pas être au bord de la mer par les temps qui courent, ajouta Monsieur Silva d'un ton acide. Puis il prononça sa phrase préférée : *Mala tempora currunt.*

— Oui, répliqua Firmino, mais je ne devais rentrer que demain.

Monsieur Silva ne répondit pas et lui indiqua le bureau de la direction, une petite pièce aux vitres dépolies.

Firmino frappa et entra dans la foulée. Le directeur était au téléphone et lui fit signe d'attendre. Firmino ferma la porte et resta debout. Il faisait une chaleur étouffante, dans ce bocal, et le ventilateur était arrêté. Pourtant le directeur avait endossé une impeccable veste grise sur sa chemise blanche, et portait la cravate. Il raccrocha et le toisa de la tête aux pieds.

— Où donc étiez-vous fourré ? demanda-t-il avec irritation.

— J'étais dans l'Alentejo, répondit Firmino.

— Qu'est-ce que vous faisiez dans l'Alentejo ? demanda le directeur d'un ton encore plus irrité.

— Je suis en vacances, précisa Firmino, mes vacances ne finissent que demain, je suis juste passé au journal pour savoir s'il y avait du nouveau et si je pouvais être utile.

— Vous n'êtes pas utile, dit le directeur, mais indispensable, et vous prenez le train de six heures.

Firmino pensa qu'il valait mieux s'asseoir. Il s'assit, et alluma une cigarette.

— Pour aller où ? demanda-t-il avec flegme.

— À Porto, dit le directeur d'une voix neutre, évidemment à Porto.

— Pourquoi à Porto évidemment ? demanda
Firmino, cherchant lui aussi à adopter un ton neutre.

— Parce qu'il est arrivé une sale histoire, dit le
directeur, une sale histoire qui fera couler beaucoup
d'encre.

— Le correspondant à Porto ne suffit pas ?
demanda Firmino.

— Non, il ne suffit pas, c'est une grosse affaire,
précisa le directeur.

— Envoyez Monsieur Silva, répliqua calmement
Firmino, il aime bien voyager, et puis, on aura ainsi
une signature avec un nom français.

— Il est rédacteur en chef, répondit le directeur,
il doit récrire les papiers mal torchés des correspon-
dants, l'envoyé spécial c'est vous.

— Mais je viens à peine de m'occuper de la
femme tuée à coups de couteau par son mari à
Coimbra, protesta Firmino, il n'y a pas même dix
jours, juste avant les vacances, et j'ai passé tout un
après-midi à la morgue de Coimbra pour écouter les
conclusions des médecins légistes.

— Peu importe, répondit sèchement le directeur,
l'envoyé spécial c'est vous, d'ailleurs tout est déjà
organisé, je vous ai réservé une pension à Porto pour
une semaine, histoire de démarrer, c'est une affaire
qui risque de traîner en longueur.

Firmino réfléchit et essaya de reprendre son
souffle. Il aurait voulu dire qu'il n'aimait pas Porto,
qu'on y mangeait essentiellement des tripes à la
mode locale et que les tripes lui donnaient la nausée,
qu'à Porto la chaleur était humide, que la pension

qui lui avait été réservée serait selon toute vraisemblance un lieu misérable avec salle de bains à l'étage et qu'il y mourrait de mélancolie. Au lieu de cela, il dit :

— Mais, Monsieur le Directeur, je dois finir mon essai sur le roman portugais d'après-guerre, c'est une chose importante pour moi, et j'ai déjà signé le contrat avec l'éditeur.

— C'est une sale histoire, coupa court le directeur, un mystère qui doit être élucidé, l'opinion publique est avide, depuis ce matin on ne parle plus que de cela.

Le directeur alluma une cigarette, baissa la voix comme s'il devait confesser un secret et murmura :

— Ils ont découvert un cadavre sans tête tout près de Matosinhos, l'identité est encore inconnue, c'est un gitan qui l'a trouvé, un certain Manolo, il a fait une déposition confuse, on ne parvient pas à lui arracher un mot de plus que ce qu'il a raconté à la police, il vit dans un campement de nomades à la périphérie de Porto, vous devez le trouver et faire un entretien, ce sera le scoop de la semaine.

Le directeur sembla apaisé, comme si le cas était réglé à ses yeux. Il ouvrit un tiroir et prit quelques feuilles.

— Voici l'adresse de la pension, ajouta-t-il, ce n'est pas un hôtel de luxe, mais Dona Rosa est une personne merveilleuse, je la connais depuis trente ans. Et le chèque : nourriture, logis et dépenses pour une semaine. S'il y a des extra, vous les mettez sur le compte. Je vous rappelle que le train part à six heures.

III

Qui sait à quoi était due son antipathie à l'égard de Porto. Firmino y réfléchit. Le taxi traversait la Praça da Batalha. Une place noble, austère, de style anglais. C'est vrai que Porto avait quelque chose d'anglais, avec ses façades victoriennes de pierre grise et les gens qui marchaient en bon ordre dans les rues. Serait-ce parce que je ne me sens pas à l'aise avec les Anglais ? se demanda Firmino. Éventuellement, mais ce n'était pas la raison principale. L'unique fois qu'il était allé à Londres, par exemple, il s'était senti parfaitement à l'aise. Bien sûr, Porto n'était pas Londres, c'en était tout au plus une imitation, mais ce n'était peut-être pas pour ça, conclut Firmino. Et il se rappela son enfance, les oncles de Porto chez qui sa mère l'emmenait immanquablement à toutes les vacances de Noël. Terribles, ces Noëls. Ils revenaient à l'esprit de Firmino comme s'ils dataient de la veille. Il revit la tante Pitú et l'oncle Nuno, elle grande et maigre, toujours habillée de noir avec un camée sur la poitrine, lui grassouillet et jovial, spécialiste des plaisanteries qui ne faisaient rire personne. Et la maison. Une petite villa du début du siècle, dans la zone bourgeoise de la ville, aux meubles tristes avec des divans décorés de napperons brodés à la main, des fleurs en papier et de vieilles photographies ovales sur les murs, la généalogie de la famille dont la tante Pitú était si fière. Et le dîner de Noël. Un cauchemar. L'inévitable soupe aux choux verts pour commencer, servie dans des bols de Canton qui étaient l'orgueil de tante Pitú, et dont sa mère cherchait à le convaincre qu'elle était bonne malgré les haut-le-cœur qu'il en éprouvait. Puis la torture des veillées à onze heures le soir pour les messes basses, le rituel de l'habillage avec le petit costume élégant, la sortie dans le froid brouillard de décembre à Porto. Les brouillards hivernaux de Porto. Firmino y réfléchit et conclut que son antipathie pour cette ville était un héritage de l'enfance, peut-être Freud avait-il raison. Il pensa aux théories de Freud. Non qu'il les connût à fond, elles ne lui avaient pas inspiré suffisamment confiance. Tandis que Lukács et son exacte radiographie de la littérature comme expression de classe, oui, Lukács, voilà quelqu'un qui lui était utile pour son étude sur le roman portugais d'après-guerre, il avait plus besoin de Lukács que de Freud, mais ce médecin viennois avait peut-être raison sur certains points, qui sait ?

— Où donc se trouve cette maudite pension ? demanda-t-il au chauffeur de taxi.

Il se sentait en droit de poser la question. Cela faisait une demi-heure au moins qu'ils roulaient, d'abord à travers les grandes rues du centre, à présent dans les venelles étroites et impossibles d'un quartier que Firmino ne connaissait pas.

— Il faut le temps nécessaire, marmonna de mauvaise grâce le chauffeur de taxi.

Les chauffeurs de taxi et les policiers, pensa Firmino, étaient les deux catégories qu'il détestait le plus. Et c'est pourtant aux chauffeurs de taxi et aux policiers qu'il avait le plus souvent affaire, de par son métier. Journaliste pour un périodique avec scandales et morts violentes, divorces, femmes éventrées et cadavres décapités, voilà ce qu'était sa vie. Et il songea combien il aurait été beau de finir son livre sur Vittorini et le roman portugais d'après-guerre, il était certain que cela allait constituer un événement dans les milieux académiques, peut-être cela lui donnerait-il même droit à une bourse de doctorat.

Le taxi s'arrêta au beau milieu d'une petite rue, en face d'un bâtiment qui montrait bien son âge, et le chauffeur, de façon inattendue, se retourna vers lui avec une expression cordiale sur le visage.

— Vous aviez peur de ne pas arriver, mon petit Monsieur, dit-il d'un air sympathique, sachez qu'à Porto on n'escroque personne, on ne fait pas de parcours inutiles pour soutirer de l'argent aux passagers, ce n'est pas comme à Lisbonne, vous savez.

Firmino descendit, retira son bagage et paya. Sur la porte d'entrée était écrit : Pension Rosa, 1er étage. Le hall était occupé par un coiffeur pour dames. Il n'y avait pas d'ascenseur. Firmino monta les escaliers, dotés d'un tapis rouge, ou plutôt qui avait été rouge autrefois, ce qui le rassura et le rendit mélancolique en même temps. Il les connaissait par cœur, les pensions où l'envoyait son directeur : dîners sinistres à sept heures du soir, chambres avec lavabo et surtout de vieilles mégères comme propriétaires.

En fait, cette fois-ci, ce n'était pas du tout le cas, du moins pour ce qui regardait la patronne. Dona Rosa était une femme dans la soixantaine, avec une belle permanente bleutée, elle ne portait pas l'habituelle robe de chambre à motif floral comme les propriétaires des autres pensions qu'il connaissait, mais un élégant tailleur gris, et elle arborait un sourire jovial. Donna Rosa lui souhaita le bonjour et prit soin de lui expliquer les horaires de la pension. Le dîner était servi à huit heures, et ce soir-là le plat proposé était des tripes à la mode de Porto. S'il voulait dîner pour son compte, en sortant à droite, sur la place, il trouverait un café de grande tradition, peut-être le connaissait-il, un des plus vieux cafés de Porto, pratiquement une institution, on y mangeait bien pour pas cher, mais il était sans doute préférable qu'il prît d'abord une douche, ne voulait-il pas s'installer dans sa chambre ? c'était la deuxième sur la droite dans le corridor, il fallait qu'elle ait une petite conversation avec lui, mais cela pouvait attendre après dîner, de toute façon elle se couchait tard.

Firmino entra dans sa chambre et la bonne impression qu'il avait eue de la Pension Rosa se confirma. Une large fenêtre sur le jardin de derrière, un plafond élevé, de solides meubles de province, un lit à deux places. Et les murs de la salle de bains avec baignoire étaient recouverts de carreaux à fleurs. Il y avait même un sèche-cheveux. Firmino se déshabilla calmement et prit une douche tiède. En fin de compte, il ne faisait pas à Porto cette chaleur humide qu'il craignait, du moins sa chambre était-elle fraîche. Il enfila une chemise à manches courtes, prit par précaution une veste légère sous le bras, et sortit. La petite rue semblait assez animée. Les magasins avaient déjà baissé leur rideau de fer, mais les habitants étaient aux fenêtres à prendre le frais et à parler avec leurs voisins d'en face. Il se mit à écouter ce bavardage qui lui inspirait une certaine tendresse. Quelques phrases çà et là, en particulier celles d'une jeune fille robuste qui se penchait sur le rebord de la fenêtre. Elle parlait de l'équipe de Porto qui, la veille, avait joué en Allemagne et avait gagné. La jeune fille semblait se passionner surtout pour l'avant-centre, dont le nom lui était inconnu.

Il déboucha sur la place et vit aussitôt le café. C'était un bâtiment du XIXᵉ siècle à la façade recouverte de stucs et dont la porte d'entrée était entourée d'un large cadre en bois. L'enseigne représentait un petit homme rubicond assis sur un tonneau de vin. Firmino entra. La salle du café n'en finissait pas, avec de vieilles tables en bois, une énorme banquette marquetée et de nombreux ventilateurs en laiton suspendus au plafond. Les dernières tables étaient réservées au restaurant, mais il n'y avait pas beaucoup de clients. Firmino prit place et s'apprêta à un dîner copieux en étudiant attentivement la carte. Il avait décidé du menu et sentait déjà l'eau lui venir à la bouche quand le garçon arriva. C'était un jeune homme leste, avec une barbiche brune et des cheveux coupés en brosse.

— La cuisine est fermée, Monsieur, l'informa le garçon, on ne peut manger que des plats froids.

Firmino regarda sa montre. Onze heures et demie, il ne s'était pas rendu compte qu'il était aussi tard. Quoi qu'il en soit, à Lisbonne, à onze heures et demie, il était encore possible de dîner.

— À Lisbonne, à cette heure-ci, on peut manger sans problème, lâcha-t-il pour dire quelque chose.

— Lisbonne, c'est Lisbonne, et Porto, c'est Porto, répondit philosophiquement le garçon, mais vous verrez que nos plats froids ne vous décevront pas, si je peux me permettre une suggestion, la cuisinière a préparé une salade de crevettes à la mayonnaise fraîche qui réveillerait les morts.

Firmino approuva et le garçon revint peu après avec un plateau et la salade de crevettes. Il lui en servit une portion abondante et tandis qu'il le servait, il dit :

— L'équipe de Porto a gagné hier en Allemagne, les Allemands sont robustes, mais on les a eus à la vitesse.

De toute évidence, il avait envie de bavarder, et Firmino ne lui refusa pas ce plaisir.

— Porto est une belle équipe, répondit-il, mais elle n'a pas la tradition de Benfica.

— Vous êtes de Lisbonne ? demanda aussitôt le garçon.

— Du centre de Lisbonne, confirma Firmino.

— Je l'avais compris à l'accent, dit le garçon.

Puis il continua :

— Et qu'est-ce que vous faites de beau dans notre ville ?

— Je cherche un gitan, répondit Firmino sans réfléchir.

— Un gitan ? demanda le garçon.

— Un gitan, répéta Firmino.

— J'ai de la sympathie pour les gitans, dit le garçon comme s'il tâtait le terrain. Et vous ?

— Je les connais peu, répondit Firmino, très peu même.

— C'est peut-être parce que je suis de Barcelos, dit le garçon, vous savez, quand j'étais enfant il y avait à Barcelos la plus belle foire de tout le Minho, à présent ce n'est plus comme autrefois, j'y suis retourné l'année dernière et ça m'a presque fait de la peine, alors qu'à l'époque c'était un sacré spectacle, mais je ne voudrais pas vous ennuyer, peut-être que je suis importun ?

— Vous ne m'ennuyez pas du tout, dit Firmino, au contraire asseyez-vous à ma table, comme ça j'aurai de la compagnie, puis-je vous offrir un verre de vin ?

Le garçon s'assit et accepta le verre de vin.

— Je vous parlais de la foire de Barcelos, continua le garçon, au temps de mon enfance elle était magnifique, surtout pour les bêtes de marché, les bœufs de la race du Minho, aux cornes très longues, vous vous les rappelez ? eh bien à présent il n'y en a plus, et les chevaux, les poulains, les juments, mon père était courtier et il commerçait avec les gitans à l'occasion des foires, ils avaient de superbes chevaux, les gitans, et c'étaient des personnes d'honneur, je me souviens du repas qu'ils offraient à mon père après avoir conclu une affaire, c'était une grande tablée sur la place de Barcelos et mon père m'emmenait avec lui.

Il fit une pause.

— Je ne sais pas pourquoi je suis là à égrener mes souvenirs d'enfance, dit-il, peut-être parce que les gitans me font de la peine, ils sont réduits à la misère et en butte à l'hostilité de la population.

— Vraiment ? demanda Firmino, je ne le savais pas.

— C'est une sale histoire locale, ajouta le garçon, mais je vous la raconterai peut-être une autre fois, j'espère que vous reviendrez manger et que notre restaurant vous a plu.

— C'était un plat délicieux, le rassura Firmino.

Lui aussi aurait eu envie de rester là à bavarder, mais il se souvint que Dona Rosa voulait lui parler, de sorte qu'il paya l'addition et se dépêcha de rentrer. Il la trouva dans le petit salon, en train de lire une revue. Elle tapota de la main sur le sofa pour l'inviter à s'asseoir et Firmino s'installa à côté d'elle. Dona Rosa lui demanda si le dîner avait été à son goût. Firmino répondit que oui, et le garçon aussi, un gars très sympathique, qui avait de très bons rapports avec les gitans.

— Nous aussi, nous avons d'excellents rapports avec les gitans, répondit Dona Rosa.

— Nous qui ? demanda Firmino.

— La pension de Dona Rosa, répondit Dona Rosa.

Et lui lançant un large sourire, elle continua :

— Manolo le Gitan vous attend demain à midi au campement, il a accepté de vous parler.

Firmino la regarda avec stupeur.

— Vous l'avez contacté par le biais de la police ? demanda-t-il.

— Dona Rosa n'utilise pas les canaux de la police, répondit Dona Rosa d'un ton placide.

— Et alors, comment avez-vous fait ? insista Firmino.

— Un bon journaliste se contente d'être mis en contact, vous ne pensez pas ? dit Dona Rosa avec un clin d'œil.

— Il est où, ce campement ? demanda Firmino.

Dona Rosa déplia sur la petite table un plan de la ville qu'elle avait préparé.

— On peut aller en autobus jusqu'à Matisinhos, expliqua-t-elle, puis il faut prendre un taxi, le campement est juste là, vous voyez ? où il y a cette tache verte, c'est un terrain communal, Manolo vous attend à l'épicerie qui se trouve en bordure du campement.

Dona Rosa referma la carte en faisant comprendre qu'elle n'avait rien à ajouter.

— Vous aurez un magnétophone ? demanda-t-elle.

Firmino fit signe que oui.

— Gardez-le dans votre poche, dit Dona Rosa, les gitans n'aiment pas les magnétophones.

Elle se leva et commença d'éteindre les lumières en lui faisant comprendre qu'il était l'heure d'aller au lit. Firmino se leva lui aussi pour prendre congé.

— Quel âge avez-vous ? demanda Dona Rosa.

Firmino répondit comme il le faisait toujours lorsqu'il ressentait de l'embarras à confesser qu'il n'avait que vingt-sept ans. C'était une formule maladroite, mais il ne réussissait pas à en trouver une meilleure.

— Pratiquement trente, répondit-il.

— Trop jeune pour un sale boulot comme ça, marmonna Dona Rosa.

Et elle ajouta :

— À demain, reposez-vous bien.

IV

Manolo le Gitan était assis à une petite table sous la pergola de l'épicerie. Il portait une veste noire et un chapeau à large bord, à l'espagnole. Il avait un air de noblesse perdue : la misère se lisait sur tout son visage et sur sa tenue débraillée.

Firmino était entré dans l'épicerie par la porte de devant, en bordure d'une petite route gracieuse qui longeait de petites maisons modestes et cependant bien entretenues. Mais là, à l'arrière du local, le panorama était tout différent. Au-delà de la barrière défoncée qui délimitait la propriété de l'épicerie, on voyait le camp des gitans : six ou sept roulottes à moitié détruites, quelques baraques en carton, deux voitures américaines des années soixante, des enfants presque nus qui jouaient sur le terrain vague poussiéreux. Sous un auvent de feuilles sèches, un âne et un cheval chassaient les mouches en agitant leur queue.

— Bonjour, dit Firmino, je m'appelle Firmino. Et il lui tendit la main.

Manolo porta deux doigts à son chapeau et il lui serra la main.

— Merci d'avoir accepté de me rencontrer, dit Firmino.

Manolo ne dit rien, il sortit sa pipe et défit deux cigarettes jaunies dans le fourneau. Son visage ne trahissait aucune expression et ses yeux étaient pointés vers le haut, fixant la pergola.

Firmino posa un carnet et un stylo sur la petite table.

— Je peux prendre des notes ? demanda-t-il.

Manolo ne répondit pas, continuant de regarder la pergola. Puis il dit :

— Combien de *baguines* ?

— *Baguines* ? répéta Firmino.

Manolo, finalement, le regarda. Il semblait irrité.

— *Baguines, parné.* Tu ne comprends pas la *geringonça* ?

Firmino pensa que les choses se présentaient mal. Il se sentait stupide, et plus stupide encore lorsqu'il songeait au petit Sony qu'il avait dans la poche et qui lui avait coûté les yeux de la tête.

— Je parle aussi le portugais, mais plus volontiers la *geringonça*, précisa Manolo.

Effectivement, Firmino n'était pas en mesure de comprendre le dialecte gitan, ce que Manolo appelait la *geringonça*. Il s'efforça de résoudre le problème et chercha un fil logique en reprenant tout depuis le début.

— Je peux écrire ton nom ?

— Manolo El Rey ne veut pas finir au *cagarrão*, répondit Manolo en se croisant les poignets, puis il se mit un doigt sur les lèvres. Firmino comprit que le *cagarrão* devait être la prison ou la police.

— D'accord, dit-il, pas de nom, et maintenant répète ta question.

— Combien de *baguines* ? fit Manolo en se frottant le pouce et l'index comme s'il comptait des sous.

Firmino fit un rapide calcul. Le directeur lui avait donné quarante mille escudos pour les frais immédiats. Dix mille escudos pouvaient représenter un prix convenable pour Manolo, il avait d'ailleurs accepté de lui parler, ce qui était exceptionnel pour un gitan, peut-être pourrait-il en tirer des choses qu'il n'avait pas dites à la police. Et si au contraire Manolo ne savait rien de plus que ce qu'il avait déjà dit, si ce rendez-vous n'était qu'une astuce pour lui soutirer des *baguines*, comme il disait ? Firmino essaya de gagner du temps.

— Ça dépend de ce que tu me raconteras, dit-il, il faut voir si ton témoignage en vaut la peine.

Manolo répondit sèchement :

— Combien de *baguines* ? et il se frotta de nouveau le pouce contre l'index.

C'est à prendre ou à laisser, réfléchit Firmino, il n'y a rien d'autre à faire.

— Dix mille escudos, dit-il, pas un de plus pas un de moins.

Manolo fit un imperceptible signe de consentement avec la tête.

— Un *chavelho*, murmura-t-il. Et il porta son pouce à la bouche en jetant la tête en arrière.

Cette fois, Firmino comprit au quart de tour, il se leva, entra dans l'épicerie et revint avec un litre de vin rouge. Durant le trajet, il mit une main dans sa poche et éteignit le magnétophone. Il n'aurait pas su dire pourquoi il avait fait cela. Peut-être parce que Manolo lui était sympathique, comme ça, à première vue. Il aimait son expression dure et en même temps perdue, désespérée à sa façon, la voix de ce vieux gitan ne méritait pas d'être volée par un appareil d'enregistrement japonais.

— Raconte-moi tout, dit Firmino, et il appuya ses coudes sur la table, les poings sur les tempes, comme quand il voulait se concentrer. Il allait même se passer du carnet, sa mémoire lui suffirait.

Manolo emprunta des voies détournées. Tout compte fait il s'expliquait assez bien, tant pis pour les mots en *geringonça*, Firmino ne les déchiffrait pas mais il comprenait leur sens en suivant le fil du discours. Il commença par dire qu'il ne réussissait pas à dormir, qu'il se réveillait dorénavant au milieu de la nuit, et que c'est ainsi que ça se passe pour les vieux, parce que les vieux se réveillent et repensent à toute leur vie, ce qui leur donne de l'angoisse, car repenser à la vie passée est une source de regrets, surtout la vie de qui appartient au peuple des gitans, qui furent nobles autrefois, avant de devenir des miséreux comme à présent, mais lui était un vieux seulement dans l'âme et dans l'esprit, pas dans le corps, il conservait encore toute sa virilité, sauf qu'avec sa

femme cette virilité était inutile, parce que c'était une
vieille femelle, de sorte qu'il se levait et allait se vider
la vessie pour être tranquille. Ensuite il parla de
Manolito, qui était le fils de son fils, il dit qu'il avait
les yeux bleus et qu'un avenir bien triste l'attendait,
hein, quel avenir pouvait-il y avoir dans un monde
comme celui-ci pour un enfant gitan ? Puis il commença de divaguer et lui demanda s'il connaissait un
lieu qui s'appelait Janas. Firmino l'écoutait attentivement. Il aimait la façon qu'avait Manolo de raconter,
avec ces phrases ampoulées et constellées de mots en
dialecte, si bien qu'il lui demanda avec intérêt :

— Janas, c'est où ?

Et Manolo expliqua qu'il s'agissait d'une localité
pas très loin de Lisbonne, vers l'intérieur, du côté
de Mafra, où se trouvait une antique chapelle circulaire qui datait des premiers chrétiens de l'Empire
romain, c'était un lieu sacré pour les gitans, qui parcouraient la péninsule Ibérique depuis des temps
très reculés et, chaque année, le 15 août, les gitans
du Portugal se réunissaient à Janas pour une grande
fête, c'était une fête de chants et de danses, les accor-
déons et les guitares ne cessaient pas un instant de
jouer et les repas étaient préparés sur de grands bra-
siers au pied de la colline, puis, au crépuscule, quand
le soleil se couchait à l'horizon, précisément à ce
moment-là, quand les rayons teintaient de rouge la
plaine qui finissait dans les falaises d'Ericeira, le
prêtre qui avait célébré la messe sortait de la chapelle
pour bénir les animaux des gitans, les mules et les
chevaux, ces chevaux qui étaient les plus beaux de la

péninsule Ibérique et que les gitans vendaient ensuite aux écuries d'Alter do Chão, où ils étaient dressés par les cavaliers participant aux corridas, mais à présent, à présent que les gitans n'avaient plus de chevaux et qu'ils s'achetaient d'horribles voitures, que pouvait-on bien bénir ? comme si on pouvait bénir des automobiles, qui sont en métal ? Bien sûr, les chevaux meurent si on ne leur donne pas de l'avoine et de la semoule, tandis que les voitures, s'il n'y a plus d'argent pour mettre de l'essence, elles ne meurent pas et le jour où tu mets de l'essence elles repartent, c'est pour cela que les gitans possédant un peu d'argent ne gardaient plus les chevaux et achetaient des automobiles, mais peut-être que finalement on peut quand même bénir les voitures ?

Manolo le regardait avec des yeux interrogatifs, on aurait pu croire qu'il attendait de lui une solution, et il y avait une expression de profond malheur sur son visage.

Firmino baissa les yeux, comme s'il avait été responsable de ce qui arrivait au peuple de Manolo, et ne trouva pas le courage de l'inviter à continuer. Mais Manolo continua tout seul, avec des détails qu'il considérait probablement comme intéressants, la façon dont il s'était mis à pisser sous le vieux chêne et avait vu la chaussure qui dépassait du buisson. Puis il décrivit centimètre par centimètre ce qu'il avait vu en examinant le corps qui gisait dans les buissons, et dit que sur le maillot dont le corps était revêtu il y avait une inscription qu'il épela parce

qu'il ne savait pas la prononcer, c'était une langue
étrangère, et Firmino l'écrivit sur son bloc-notes.

— Comme ça ? demanda Firmino, c'était écrit
comme ça ?

Manolo acquiesça. On pouvait lire : *Stones of
Portugal.*

— Mais la police a déclaré que le corps était torse
nu, objecta Firmino, les journaux disent qu'il était
torse nu.

— Non, confirma Manolo, il y avait cette inscription, précisément celle-là.

— Continue, demanda Firmino.

Manolo poursuivit son récit, mais le reste Firmino
le savait déjà. C'était ce que Manolo avait raconté au
patron de l'épicerie et qu'il avait par la suite confirmé
à la police. Firmino pensa qu'il ne pourrait peut-être
plus rien tirer du vieux gitan, et pourtant quelque
chose lui suggéra d'insister.

— Tu dors peu, Manolo, lui dit-il, est-ce que tu
as entendu quelque chose cette nuit-là ?

Manolo tendit le verre et Firmino le remplit.
Manolo ingurgita le vin et murmura :

— Manolo boit, mais son peuple a besoin
d'*alcide.*

— C'est quoi, l'*alcide* ? demanda Firmino.

Manolo traduisit en portugais, d'un ton condescendant :

— Ça veut dire du pain.

— Tu as entendu quelque chose durant la nuit ?
répéta Firmino.

— Un moteur, dit rapidement Manolo.

— Tu veux dire une voiture ? précisa Firmino.

— Une voiture et des portières qui claquaient.

— Où ?

— Devant ma baraque.

— Une voiture peut arriver jusqu'à ta baraque ?

Manolo lui montra de l'index un chemin de terre battue qui partait de biais depuis la route principale et qui longeait le campement.

— Par ce chemin on peut arriver jusqu'au vieux chêne, confirma-t-il, et descendre la colline jusqu'au fleuve.

— Tu as entendu des voix ?

— Des voix, confirma Manolo.

— Qu'est-ce qu'elles disaient ?

— Je ne sais pas, dit Manolo, impossible de comprendre.

— Pas un seul mot ? insista Firmino.

— Si, un mot, dit Manolo, j'ai entendu dire prison.

— Prison ? demanda Firmino.

— Prison, confirma Manolo.

— Et puis ?

— Et puis je ne sais pas, dit Manolo, mais l'un d'entre eux avait une grande *gateira*.

— *Gateira*, demanda Firmino, qu'est-ce que ça veut dire ?

Manolo indiqua la bouteille de vin.

— Il avait bu, demanda Manolo, c'est ça que tu veux dire, il était ivre ?

Manolo approuva de la tête.

— Comment l'as-tu compris ?

48

— Il riait comme quelqu'un qui a une grande *gateira*.

— Tu as entendu autre chose ? demanda Firmino.

Manolo secoua la tête de gauche à droite.

— Réfléchis bien, Manolo, dit Firmino, tout ce dont tu peux te souvenir m'est précieux.

Manolo parut réfléchir.

— Tu crois qu'ils étaient combien ? demanda Firmino.

— Deux ou trois, répondit Manolo, je ne sais pas exactement.

— Tu ne te rappelles rien d'autre d'important ?

Manolo réfléchit et but un autre verre de vin. Le patron apparut à la porte de la petite cour et s'y attarda tout en les regardant avec curiosité.

— Conchié, dit Manolo, c'est son nom, je lui dois deux mille escudos d'eau-de-vie.

— Avec les sous que je te donne tu vas pouvoir régler tes dettes, le rassura Firmino.

— L'un d'eux parlait mal, dit Manolo.

— Qu'est-ce que tu veux dire ? demanda Firmino.

— Il parlait mal.

— Tu veux dire qu'il ne parlait pas le portugais ?

— Non, dit Manolo, comme ça : b-b-b-bordel de me-erde, b-b-b-bordel de me-erde.

— Ah, dit Firmino, il bégayait.

— Juste, confirma Manolo.

— Autre chose ? demanda Firmino.

Manolo secoua la tête.

Firmino sortit son portefeuille et prit dix mille escudos. Manolo les fit disparaître avec une rapidité étonnante. Firmino se leva et lui tendit la main. Manolo la lui serra et porta deux doigts à son chapeau.

— Va à Janas, dit Manolo, c'est un bel endroit.

— J'irai, tôt ou tard, promit Firmino en s'éloignant.

Il entra dans le café-épicerie et demanda au patron de lui appeler un taxi.

— C'est du temps perdu, répondit désagréablement le patron, les taxis appelés par téléphone refusent de venir jusqu'ici.

— Je dois aller en ville, dit Firmino.

La patron écrasa deux mouches avec un torchon sale et répondit qu'il y avait un autobus.

— Où est la station ? demanda Firmino.

— À un kilomètre, en prenant sur la gauche.

Firmino sortit sous le soleil cuisant. Va te faire voir, Conchié, pensa-t-il. La chaleur était féroce, tout à fait une de ces fameuses chaleurs qu'on attribuait à Porto. Personne ne passait sur cette route, il ne pouvait même pas faire de l'auto-stop. Il pensa qu'à peine arrivé à la pension, il écrirait son article et l'enverrait par fax au journal. C'était jeudi, le journal sortait le samedi. Il voyait déjà le titre : *L'homme qui a retrouvé le cadavre décapité parle*. Et en sous-titre : de notre envoyé spécial à Porto. Toute l'histoire dans le menu détail, telle que la lui avait racontée Manolo, avec cette mystérieuse voiture qui s'arrêtait à côté des baraques en pleine nuit. Et les voix dans l'obscurité. Autant de délits et d'énigmes qui plairaient aux lecteurs de son journal. Mais qu'une de ces voix bégayait, il n'allait pas le dire. Ça non. Firmino ne savait pas pourquoi mais, ce détail, il le garderait pour lui, il n'allait pas le révéler à ses lecteurs.

Dans un long virage de la route déserte, sur un fond de mer bleu cobalt, un énorme panneau de la TAP Air Portugal promettait des vacances de rêve à Madère.

V

Bon Dieu ! dit Firmino, comment peut-on prétendre ne pas aimer une ville alors qu'on ne la connaît pas bien ? C'est illogique. Un vrai manque d'esprit dialectique. Lukács soutenait que la connaissance directe de la réalité est un instrument indispensable pour formuler une opinion critique. Il n'y avait pas de doute.

Voilà pourquoi Firmino était entré dans une grande librairie et avait cherché un guide de la ville. Son choix s'était porté sur une publication récente, à la belle couverture bleue et avec, à l'intérieur, de magnifiques photographies en couleurs. L'auteur s'appelait Helder Pacheco et, outre son énorme compétence, il faisait preuve d'un amour sans fin pour Porto. Firmino détestait les guides techniques, impersonnels et objectifs, qui donnent de froides informations. Il préférait les choses faites avec enthousiasme, parce que lui aussi avait besoin d'enthousiasme dans la situation où il se trouvait.

Ainsi muni de son guide, il se mit à flâner à tra-

vers la ville en s'amusant à chercher dans son livre les
lieux où sa promenade vagabonde le conduisait. Il se
retrouva Rua S. Bento da Vitória, et l'endroit lui
plut, d'autant que, par cette chaleur, c'était une rue
ombreuse, fraîche, où le soleil ne semblait pas pénétrer. Il chercha le lieu dans l'index, facile à consulter,
et le trouva aussitôt à la page 132. Il découvrit
qu'il y a très longtemps, cette rue s'appelait Rua
S. Miguel et qu'en 1600, un certain frère Pereira de
Novais dont il ignorait tout lui avait consacré une
description pittoresque en espagnol. Il lut avec
délice la description ampoulée de ce prêtre qui
parlait des « *casas hermosas de algunos hidalgos* »,
ministres, chanceliers et autres notables de cette ville
que le temps avait engloutis, mais dont les vies
étaient encore attestées par ces témoignages architec-
turaux : frontons et chapiteaux de style ionique qui
rappelaient l'époque noble et fastueuse de la rue,
avant que les intempéries de l'Histoire ne la trans-
forment en une rue plébéienne comme à présent. Il
poursuivit son inspection et arriva devant un hôtel
particulier pour le moins imposant. Le guide disait
qu'il avait appartenu à la baronne de Regaleira, qu'il
avait été construit à la fin du XVIIIe siècle par un certain José Monteiro de Almeida, commerçant portugais établi à Londres, et qu'il avait abrité successivement la poste centrale, un couvent de carmélites,
puis un lycée d'État, avant de devenir le siège de la
police judiciaire. Firmino s'arrêta un instant devant
la majestueuse porte d'entrée. La police judiciaire.
Qui sait si quelqu'un, là-dedans, n'était pas en train

de s'intéresser au corps décapité dont il suivait lui aussi la piste incertaine. Qui sait si un austère magistrat, plongé dans l'analyse des rapports des médecins légistes qui avaient effectué l'autopsie, n'essayait pas de remonter jusqu'à l'identité de ce corps mutilé.

Firmino regarda sa montre et poursuivit son chemin. Il était presque midi. C'était samedi. L'*Acontecimento* devait être dans les kiosques de Porto, il arrivait par l'avion du matin. Il déboucha sur une petite place qu'il ne prit pas soin de chercher dans le guide. Il se dirigea vers le kiosque et acheta le journal. Il s'assit sur un banc. L'*Acontecimento* consacrait sa couverture à l'affaire, avec un dessin violet où l'on voyait la silhouette d'un corps sans tête surmonté d'un couteau dégoulinant de sang. Le titre disait : *Toujours pas de nom pour le cadavre décapité*. Son article se trouvait en pages intérieures. Firmino le lut attentivement et constata qu'il n'y avait pas de modifications substantielles. Sauf que le passage dans lequel il parlait du maillot avait été un peu changé, et cela l'irrita. Il alla jusqu'à la cabine téléphonique la plus proche et appela le journal. C'est naturellement mademoiselle Odette qui répondit, et elle lui tint la jambe un moment, la pauvre, de sa chaise roulante le téléphone était le seul contact qu'elle avait avec le monde. Elle voulut savoir si, à Porto, on mangeait vraiment autant de tripes qu'on le disait, et Firmino lui répondit qu'il les avait évitées. Elle lui demanda ensuite si c'était plus beau que Lisbonne, et Firmino dit que c'était différent, mais avec un charme qu'il apprenait à découvrir.

Puis elle le félicita pour son article, qu'elle avait trouvé « prenant », et lui fit comprendre qu'il avait de la chance, dans la vie, de pouvoir connaître des aventures aussi intenses. Elle lui passa enfin le directeur.

— Allô, dit Firmino, j'ai vu que vous y allez prudemment.

Le directeur ricana.

— C'est stratégique, répondit-il.

— Je ne comprends pas, dit Firmino.

— Écoutez, Firmino, expliqua le directeur, vous affirmez que Manolo le Gitan avait décrit dans le détail le maillot à la police, mais celle-ci, dans un communiqué, a prétendu que le cadavre était torse nu.

— Justement, s'impatienta Firmino, et alors ?

— Alors il y aura bien une raison, insista le directeur, nous n'allons pas démentir la police comme ça, je crois qu'il vaut mieux dire que, selon certaines sources d'information, le cadavre portait un maillot avec l'inscription *Stones of Portugal*, au cas où Manolo se serait inventé toute cette histoire.

— Mais l'information perd tout son intérêt si nous ne disons pas que la police a gardé le silence à propos de ce maillot, protesta Firmino.

— Il y a forcément une raison à cela, répondit le directeur, et ce serait magnifique si vous la découvriez.

Firmino se retint avec peine. Quelles idées grandioses passaient parfois dans la tête de son directeur ! La police n'allait même pas le recevoir, ce n'était guère dans ses habitudes de répondre aux questions d'un journaliste...

— Et comment diable vous vous y prendriez ? demanda Firmino.

— Triturez-vous les méninges, dit le directeur, vous êtes jeune et vous avez une bonne imagination.

— Qui est le magistrat chargé de l'affaire ? demanda Firmino.

— C'est le *doutor* Quartim, vous le savez bien, mais vous n'en tirerez rien, car tous les éléments en sa possession lui ont été fournis par la police.

— Ça me semble être un beau cercle vicieux, objecta Firmino.

— Triturez-vous les méninges, répéta le directeur, c'est pour mener cette enquête que je vous ai envoyé à Porto.

Firmino sortit de la cabine dégoulinant de sueur. À présent, il se sentait plus irrité que jamais. Il se dirigea vers la petite fontaine sur la place et s'y aspergea le visage. Bordel, pensa-t-il, et à présent ? L'arrêt de l'autobus était juste à l'angle, et Firmino réussit à en prendre un au vol qui conduisait au centre. Il se félicita lui-même de posséder dorénavant les points de repère fondamentaux dans cette ville dont la topographie lui semblait tellement hostile au début. Il demanda au conducteur de lui indiquer l'arrêt le plus proche d'un centre commercial. Il descendit sur un signe de l'employé et se rendit compte alors seulement qu'il n'avait pas payé son billet. Il entra dans le centre commercial, un gigantesque espace qu'un architecte intelligent, espèce devenue fort rare, avait conçu à partir de vieux bâtiments sans en abîmer les façades. Porto était une ville organisée : à l'entrée, dans un vaste hall avec de nombreux escaliers roulants qui descendaient au sous-sol ou montaient aux étages supérieurs, une belle jeune fille vêtue de bleu était postée derrière un comptoir et distribuait un dépliant topographique où étaient indiqués tous les magasins du centre commercial ainsi que leur localisation exacte. Firmino étudia le dépliant et se dirigea d'un pas décidé vers la galerie B du premier étage. Le magasin s'appelait « T-shirt International ». C'était un local plein de miroirs, avec des cabines d'essayage et des rayons débordants de marchandises. Quelques adolescents enfilaient des maillots et se regardaient dans le miroir. Firmino s'adressa à la vendeuse, une petite blonde à cheveux longs.

— Je voudrais un maillot, dit-il, un maillot spécial.

— On en a pour tous les goûts, Monsieur, répondit la jeune fille.

— Ils sont faits ici ? demanda Firmino.

— Ici et à l'étranger, répondit la jeune fille, nous importons de France, d'Italie, d'Angleterre et surtout des États-Unis.

— Bon, dit Firmino, quelque chose dans le bleu, mais ça peut aussi être une autre couleur, le plus important est l'inscription.

— Et elle est comment, l'inscription ?

— *Stones of Portugal*, dit Firmino.

La jeune fille parut réfléchir un instant. Elle tordit légèrement la bouche, comme si ces mots ne lui disaient rien, puis elle prit un gros catalogue dactylographié et le feuilleta avec l'index.

— Désolée, Monsieur, dit-elle, nous n'avons pas ces maillots.

— J'en ai pourtant vu un, dit Firmino, porté par un type que j'ai rencontré dans la rue.

La jeune fille se mit de nouveau à réfléchir.

— C'est peut-être une publicité, dit-elle ensuite, mais nous n'avons pas de maillots publicitaires, seulement des maillots commerciaux.

Firmino réfléchit à son tour. Publicité. Ça pouvait être un maillot publicitaire.

— Oui, dit-il, mais publicité de quoi, que pensez-vous que ça peut être, *Stones of Portugal* ?

— Bah, dit la jeune fille, ça pourrait être un nouveau groupe rock qui a donné un concert, d'habitude ils vendent des maillots publicitaires à l'entrée quand il y a un concert, pourquoi vous n'essayez pas dans un magasin de disques ? avec les disques, ils vendent aussi les maillots.

Firmino sortit et chercha un magasin de disques sur le dépliant. Musique classique ou musique moderne. Il choisit naturellement la musique moderne. C'était dans la même galerie. Le jeune homme installé au comptoir du magasin avait un casque sur la tête et il écoutait un morceau de musique en semblant très absorbé. Firmino attendit patiemment qu'il se rende compte de sa présence.

— Vous connaissez un groupe qui s'appelle *Stones of Portugal* ? demanda-t-il.

Le vendeur le regarda et prit un air pensif.

— Cela ne me dit rien, répondit-il, c'est un nouveau groupe ?

— Peut-être, répondit Firmino.

— Tout nouveau ? demanda le vendeur.

— Peut-être, répondit Firmino.

— Nous sommes très informés sur les nouveautés, assura le vendeur, les groupes les plus récents sont les *Novos Ricos* et les *Lisbon Ravens*, mais franchement, ce que vous cherchez ne me dit rien, à moins que ce soit un groupe d'amateurs.

— Vous croyez qu'un groupe d'amateurs pourrait confectionner des maillots publicitaires ? demanda Firmino sans grand espoir.

— Eh ben voyons, répondit le vendeur, même les professionnels n'y parviennent pas toujours, vous savez, on est au Portugal, pas aux États-Unis.

Firmino le remercia et sortit. Il était presque deux heures de l'après-midi. Il n'avait pas envie de chercher un restaurant. Peut-être pourrait-il manger un morceau chez Dona Rosa. À la condition que le plat du jour ne fût pas des tripes.

VI

Ce jour-là, le plat proposé par Dona Rosa était des *rojões* à la mode du Minho. Peut-être n'était-ce pas un plat qui s'adaptait vraiment à la chaleur de Porto, mais Firmino adorait cela, des petits morceaux de filet de porc sautés à la poêle et accompagnés de pommes de terre rissolées.

Pour la première fois depuis son arrivée, il prit place dans la salle à manger de la pension. Trois tables étaient occupées. Dona Rosa arriva et voulut lui présenter les pensionnaires, elle y tenait. Firmino la suivit. Le premier, Monsieur Paulo, était un homme dans la cinquantaine qui importait de la viande pour la région de Setúbal. Il était chauve et robuste. Le deuxième, le *dottor* Bianchi, était un Italien qui ne parlait pas le portugais et s'exprimait dans un français maladroit. Il avait une entreprise qui achetait des bolets frais et secs pour les exporter en Italie, étant donné que les Portugais s'y intéressaient peu. Il dit en souriant que le commerce était florissant et qu'il espérait que les Portugais continueraient à ne pas s'intéresser aux bolets. Puis il y avait un couple d'Aveiro qui fêtait ses noces d'argent et passait une seconde lune de miel. Qui sait pourquoi ils avaient choisi précisément cette pension.

Dona Rosa lui dit que le directeur l'avait cherché et qu'il fallait le rappeler d'urgence. Firmino décida d'oublier le directeur pour un moment, sans quoi toutes ces bonnes choses qui circulaient sur les plateaux allaient refroidir. Il mangea calmement et avec plaisir, car le porc était vraiment délicieux. Il commanda un café et se résigna finalement à téléphoner au journal.

Le téléphone se trouvait dans le petit salon, les chambres étant équipées d'un seul interphone qui communiquait exclusivement avec la réception. Firmino glissa quelques pièces de monnaie et composa le numéro. Le directeur n'était pas là. La téléphoniste lui passa Monsieur Silva, que Firmino appela aussitôt Monsieur Huppert, pour l'avoir à la bonne. Monsieur Silva se montra empressé et paternel.

— Il y a eu un appel anonyme, dit-il, quelqu'un qui ne veut pas nous parler, il veut parler à l'envoyé spécial, c'est-à-dire à vous, nous lui avons donné le numéro de la pension, il va vous téléphoner à quatre heures, d'après moi il appelle de Porto.

Silva fit une pause.

— Les tripes sont à votre goût ? demanda-t-il d'un ton perfide.

Firmino répondit qu'il venait de manger un plat

comme l'autre n'oserait pas même en rêver pour un jour de grâce.

— Ne sortez pas de la pension, lui recommanda Silva, c'est peut-être un mythomane, mais il ne m'en a pas donné l'impression, réservez-lui un bon accueil, qui sait s'il n'a pas des choses importantes à vous dire.

Firmino regarda sa montre et s'assit sur le petit divan. Bon sang, pensa-t-il, même ce connard de Silva se permettait à présent de lui donner des conseils. Il prit une revue dans la corbeille en osier. C'était une revue intitulée *Vultos*, qui consacrait ses pages à la jet-set portugaise et internationale. Il se plongea dans un reportage consacré au prétendant au trône du Portugal, Don Duarte de Bragança, qui venait d'avoir un fils. Le prétendant, moustachu à la manière du XIXᵉ siècle, se tenait rigide sur un siège en cuir au dossier très haut et il serrait la main de son épouse enfoncée dans un fauteuil bas, de telle sorte qu'on lui voyait seulement les jambes et la tête, comme si elle avait été coupée au milieu. Firmino en conclut que le photographe était très mauvais, mais il n'eut pas le temps de finir de lire l'article, car le téléphone se mit à sonner. Il attendit que Dona Rosa réponde.

— C'est pour vous, Monsieur Firmino, dit aimablement Dona Rosa.

— Allô, dit Firmino.

— Regardez dans les pages jaunes, susurra la voix dans le combiné.

— Dans les pages jaunes quoi ? demanda Firmino.

— *Stones of Portugal,* dit la voix, sous la rubrique import-export.

— Qui êtes-vous ? demanda Firmino.

— Cela n'a pas d'intérêt, répondit la voix.

— Pourquoi vous n'appelez pas la police, au lieu de me téléphoner à moi ? demanda Firmino.

— Parce que je connais la police mieux que vous, répondit la voix. Et on raccrocha.

Firmino se mit à réfléchir. C'était une voix jeune, avec un accent du Nord assez marqué. Il ne s'agissait pas de quelqu'un d'instruit, on le comprenait à sa façon de parler. Et alors ? En quoi cela l'avançait-il ? Le nord du Portugal abondait en jeunes gens à l'accent marqué et sans instruction. Il prit les pages jaunes sur la petite table et chercha sous import-export. On pouvait lire : *Stones of Portugal,* Vila Nova de Gaia, Avenida Heróis do Mar, 123. Il regarda dans le guide, mais cela ne lui fut pas d'une grande aide. Il ne lui restait plus qu'à demander à Dona Rosa. Celle-ci, avec beaucoup de patience, ouvrit de nouveau la carte de Porto et lui montra la localité. À vrai dire, ce n'était pas à deux pas, mais de l'autre côté de la ville, presque en dehors de Porto, Vila Nova était une petite ville autonome, avec municipalité et tout le reste. Il était pressé ? Eh bien, s'il était pressé, il ne lui restait qu'à prendre un taxi, parce que avec les transports publics il allait arriver à l'heure du dîner, elle n'était pas en mesure de lui dire combien ça lui coûterait, jamais elle n'était allée à Vila Nova en taxi, mais il est clair que le luxe se paie. Et à présent bien le bonjour, jeune homme, elle allait faire une petite sieste, voilà exactement ce dont elle avait besoin.

L'Avenida Heróis do Mar était une longue route de la périphérie avec quelques rares arbres dispersés qui bordaient des terrains en construction, de petits chantiers, des entrepôts et des pavillons récents aux jardinets parsemés de Blanche-Neige et avec des hirondelles en céramique sur les parois des vérandas. Le 123 était une construction blanche d'un étage, avec des arcades en brique, et protégée par un mur d'enceinte ondulé de type mexicain. Derrière la construction apparaissait un hangar recouvert de tôle. Sur le mur, une plaque de cuivre disait : *Stones of Portugal.* Firmino appuya sur le bouton électrique et le portail s'ouvrit. La construction avait de petites arcades avec des colonnes, comme les autres maisonnettes de la rue, et sur une des colonnes se trouvait une plaque avec l'inscription « Administration ». Firmino entra. C'était une petite salle aménagée avec du mobilier moderne, mais non dépourvue d'un certain goût. Derrière une table au plateau de verre encombré de papiers se trouvait un vieil homme chauve à lunettes qui tapait à la machine.

— Bonjour, dit Firmino.

Le petit vieux interrompit son travail et le regarda. Il lui rendit son salut.

— Le motif de votre visite ? demanda-t-il.

Firmino se sentit pris au dépourvu. Il se dit qu'il était vraiment idiot, pendant tout le trajet il avait pensé à Manolo, puis à son amie qui déjà lui manquait beaucoup, puis à la façon dont Lukács aurait réagi si, au lieu de se trouver face à une situation narrative de Balzac, il avait dû affronter une réalité pure et simple comme celle qu'il était en train de vivre. Il avait réfléchi à tout cela, mais pas à la façon dont il allait se présenter.

— Je cherchais le chef, répondit-il presque en balbutiant.

— Le patron est à Hong Kong, dit le petit vieux, il sera loin tout le mois.

— À qui puis-je parler ? demanda Firmino.

— La secrétaire a pris une semaine de vacances, expliqua le petit vieux, il ne reste que le magasinier et moi-même, qui m'occupe de la comptabilité, c'est quelque chose d'urgent ?

— Oui et non, répondit Firmino, étant donné que je suis de passage à Porto je voulais faire une proposition à votre patron.

Puis il continua, comme pour donner plus de crédibilité à sa présence :

— Je suis aussi dans la branche, j'ai une petite entreprise à Lisbonne.

— Ah, répondit l'employé sans montrer le moindre intérêt.

— Je peux m'asseoir un instant ? demanda Firmino.

L'employé lui indiqua de la main le siège qui se trouvait devant la table. C'était un siège en tissu de couleur sable, avec des accoudoirs, comme ceux utilisés par les metteurs en scène. Firmino pensa que le décorateur de la *Stones of Portugal* était une personne de goût.

— De quoi vous occupez-vous ? demanda-t-il avec le sourire le plus aimable qu'il pût.

Le petit vieux leva finalement la tête de ses papiers. Il alluma une Gauloise prise dans le paquet qu'il avait sur la table et en aspira une bouffée avec avidité.

— Bon sang, dit-il, ces comptes avec les Chinois sont infernaux, ils envoient des relevés en dollars de Hong Kong et je dois les transformer en escudos portugais, à ceci près que le dollar de Hong Kong n'oscille jamais d'un seul centime, tandis que notre monnaie est un véritable accordéon, je ne sais pas si vous suivez la bourse de Lisbonne.

Firmino acquiesça et écarta les bras comme pour dire : eh oui, je le sais très bien.

— Nous avons commencé avec les marbres, dit le petit vieux, il y a sept ans nous étions, le patron, moi et un berger allemand, dans une baraque en tôle ondulée.

— Oui, l'encouragea Firmino, le marbre ça marche dans ce pays.

— Pour marcher, s'exclama le petit vieux, ça marche. Mais il faut bien choisir le marché. Et le patron a un flair exceptionnel, il a peut-être eu aussi de la chance, mais on ne peut pas nier qu'il a le sens des affaires, c'est ainsi qu'il a pensé à l'Italie.

Firmino eut une expression d'étonnement.

— Exporter du marbre en Italie me semble une

idée surprenante, dit-il, les Italiens en ont à revendre.

— C'est ce que vous croyez, cher Monsieur, s'exclama le petit vieux, et je le croyais moi aussi, mais cela dénote un manque de flair et une mauvaise connaissance des lois du marché. Je vous dis une chose : vous savez quel est le marbre le plus prisé d'Italie ? C'est simple, il s'agit du marbre de Carrare. Et vous savez ce que veut le marché italien ? Ça aussi c'est simple, il veut du marbre de Carrare. Mais le fait est que Carrare n'arrive plus à satisfaire la demande, cher Monsieur, les motifs exacts je ne les connais pas, disons que la main-d'œuvre est peut-être trop chère, que les carriers sont un peu des anarchistes et ont des syndicats très exigeants, que les écologistes harcèlent le gouvernement parce que les Alpes Apuanes sont transformées en écumoire, des choses dans le genre.

Le petit vieux tira avidement sur sa cigarette.

— Bien, continua-t-il, est-ce que par hasard vous avez en tête, cher Monsieur, le marbre d'Estremoz ?

Firmino fit un vague signe de la tête.

— Mêmes caractéristiques que le marbre de Carrare, dit le petit vieux d'un air satisfait, même porosité, mêmes veinures, même résistance aux polissoirs, vraiment du pareil au même.

Le petit vieux soupira, comme s'il venait de révéler le secret du siècle.

— Je me fais comprendre ? demanda-t-il.

— Vous vous faites comprendre, dit Firmino.

— Bien, continua le petit vieux, c'est l'œuf de

Colomb. Le patron vend le marbre d'Estremoz à Carrare, et eux le revendent sur le marché italien comme marbre de Carrare, de sorte que les cours intérieures des immeubles de Rome et les salles de bains des Italiens fortunés sont revêtues d'un beau marbre de Carrare qui vient d'Estremoz, Portugal. Et ce n'est pas que le patron veuille s'agrandir, il a simplement sous-loué une entreprise d'Estremoz qui s'occupe de découper les blocs et de les expédier de Setúbal, mais avec le prix de la main-d'œuvre portugaise, vous savez ce que cela représente pour nous ?

Il attendit d'un air impatient une réponse de Firmino qui ne vint pas.

— Des millions d'escudos, se répondit-il à lui-même.

Puis il continua :

— Et comme une chose entraîne l'autre, le patron s'est mis à la recherche d'un nouveau marché, et l'a trouvé à Hong Kong, vu que les Chinois aussi sont fous du marbre de Carrare, et puisqu'une chose entraînée par une autre en entraîne une autre à son tour, le patron, du fait que nous faisions de l'export, a pensé que c'était aussi le moment de faire de l'import, voilà comment nous nous sommes transformés en une boîte d'import-export, à voir comme ça on ne dirait pas, nous avons un établissement modeste, mais c'est seulement pour ne pas attirer l'attention, en réalité nous sommes une des entreprises qui a le plus gros chiffre d'affaires annuel de Porto, vous qui êtes dans la branche vous comprendrez qu'il faut tenir les agents du fisc à bonne distance, sachez que mon patron possède deux Ferrari, des Testarossa, mais il les garde dans sa propriété de campagne, vous savez ce qu'il faisait auparavant ?

— Je n'en ai pas la moindre idée, répondit Firmino.

— Il était employé communal, dit le petit vieux avec une énorme satisfaction, il travaillait à l'économat, c'est ce qui s'appelle avoir du flair, bien sûr il a dû payer son tribut à la politique, parce que c'est logique, sans la politique dans ce pays on n'arrive à rien, il s'est mis à gérer la campagne électorale du candidat à la mairie de sa petit ville, il l'emmenait en voiture à tous les meetings du Minho, le maire a été élu et comme récompense il a donné l'ordre qu'on lui cède ce terrain pour une bouchée de pain et lui a obtenu la licence pour l'entreprise. À propos, votre boîte, de quoi elle s'occupe ?

— D'habillement, répondit astucieusement Firmino.

Le petit vieux alluma une autre Gauloise.

— C'est-à-dire ? demanda-t-il.

— Nous ouvrons une chaîne de magasins de confection dans l'Algarve, dit Firmino, surtout des jeans et des tee-shirts, car l'Algarve est une région de jeunes, avec des plages, des discothèques, nous avons ainsi pensé à commercialiser les modèles les plus extravagants, parce que dorénavant les jeunes veulent des maillots extravagants, si vous en proposez un avec l'inscription *Harvard University* personne ne l'achètera, mais des tee-shirts comme les vôtres, peut-être que oui, et nous pourrions les produire en série.

Le petit vieux se leva, alla vers un cagibi fermé par une porte accordéon et fouilla dans une grande boîte.

— Vous voulez dire celui-là ?

Il s'agissait d'un maillot bleu, avec l'inscription *Stones of Portugal*. C'était bien celui décrit par Manolo.

L'employé regarda le maillot et le lui tendit.

— Vous pouvez le prendre, dit-il, mais discutez-en avec la secrétaire la semaine prochaine, moi je ne saurais rien vous dire de plus.

— Qu'est-ce que vous importez ? demanda Firmino.

— Des appareils de haute technologie en provenance de Hong Kong, répondit le petit vieux, des instruments pour la hi-fi et pour les établissements hospitaliers, c'est bien à cause de cela que j'ai des problèmes.

— Pourquoi ? demanda délicatement Firmino.

— On a eu un vol il y a cinq jours, répondit le petit vieux, ç'a eu lieu pendant la nuit, rendez-vous compte, ils avaient désactivé l'alarme et se sont dirigés vers le container où se trouvaient les appareils, comme s'ils étaient en terrain connu, ils ont seulement volé deux appareils très délicats pour la Tac, vous savez ce qu'est la Tac ?

— Tomographie axiale computérisée, répondit Firmino.

— Et le chien de garde, continua le petit vieux,

notre berger allemand, il ne s'en est pas même aperçu, alors que les voleurs ne l'avaient pas drogué.

— Il me semble un peu difficile de revendre des instruments pour les appareillages de la Tac, objecta Firmino.

— Eh ben voyons, dit le petit vieux, avec toutes les cliniques privées qui poussent comme des champignons au Portugal, excusez-moi, mais vous le connaissez, notre système sanitaire ?

— Vaguement, dit Firmino.

— C'est de la piraterie, expliqua le petit vieux d'un air convaincu, voilà pourquoi les appareillages sanitaires coûtent si cher, mais le fait est que ce vol a été pour le moins étrange, on ne pouvait pas faire plus étrange, pensez donc, deux commutateurs électroniques pour les machines de la Tac volés avec dextérité dans nos containers et abandonnés sur le bord de la route à cinq cents mètres d'ici.

— Abandonnés ? demanda Firmino.

— Comme s'ils avaient été jetés par la portière, dit le petit vieux, mais réduits en miettes, à croire qu'une automobile leur était passée dessus.

— Vous avez prévenu la police ? demanda Firmino.

— Naturellement, dit le comptable, parce qu'il s'agit d'objets très petits, mais qui valent une fortune.

— Vraiment ? dit Firmino.

— En plus de ça, le patron se trouve à Hong Kong et la secrétaire est en vacances, dit le petit vieux avec une certaine exaspération, j'ai tout sur le dos, même le garçon est tombé malade.

— Quel garçon ? demanda Firmino.

— Le garçon de course, répondit le petit vieux, j'aurais au moins eu un subalterne à envoyer ici ou là, mais il n'est pas venu travailler depuis cinq jours.

— Un commis ? demanda Firmino.

— Oui, un commis, confirma le petit vieux, un employé temporaire, il est venu il y a environ deux mois pour demander du travail et le patron l'a engagé comme garçon de course.

Firmino disjoncta brusquement.

— Comment s'appelle-t-il ? demanda Firmino.

— En quoi cela vous intéresse ? demanda le petit vieux.

Il y avait un vague air suspicieux dans son expression.

— Comme ça, se justifia Firmino, pour savoir.

— Il se faisait appeler Dakota, dit le petit vieux, parce qu'il était fou de tout ce qui venait d'Amérique, moi je l'ai toujours appelé Dakota, et je ne connais pas son vrai nom, d'ailleurs il n'apparaît pas dans les fiches de salaire, comme je vous l'ai dit c'est un employé temporaire. Mais excusez-moi, pourquoi ça vous intéresse tellement ?

— Comme ça, répondit Firmino, juste pour savoir.

— Bien, conclut le petit vieux, vous m'excuserez mais je dois reprendre mes comptes, il me faut expédier un fax à Hong Kong ce soir-même, une facture urgente, si vous voulez d'autres informations revenez la semaine prochaine, je ne vous garantis pas que le patron sera là, mais la secrétaire, elle, sera à coup sûr rentrée.

VII

— Allô, Monsieur le Directeur, dit Firmino, je
suis sur une piste, je crois avoir trouvé quelque chose
d'intéressant, le maillot du cadavre, c'est une entreprise d'import-export de Vila Nova de Gaia, ils font
des maillots identiques à celui que m'a décrit Manolo.

— Quoi d'autre ? demanda le directeur avec
flegme.

— Ils avaient un commis, répondit Firmino, un
jeune garçon de course, il n'a pas réapparu depuis
cinq jours, mais je n'ai pas réussi à savoir son nom.
Faut-il publier l'information ?

— Quoi d'autre ? insista le directeur.

— La boîte a été victime d'un cambriolage il y a
cinq jours, dit Firmino, les voleurs ont emporté
deux appareils de haute technologie pour les aban-
donner ensuite sur le bord de la route après les avoir
écrasés avec les roues de la voiture. *Stones of Portugal*
import-export, on publie l'information ?

Il y eut un bref silence, puis le directeur dit :

— Du calme. Attendons un peu.

— Mais ça ressemble à une bombe, comme information, dit Firmino.

— Demandez son avis à Dona Rosa, ordonna le directeur.

— Excusez-moi, Monsieur le Directeur, demanda Firmino, mais comment se fait-il que Dona Rosa soit pareillement informée ?

— Dona Rosa connaît le genre de personnes qui peuvent servir à notre affaire, précisa le directeur, disons même qu'elle est, dans un certain sens, la patronne de Porto.

— Je ne comprends pas très bien, dit Firmino.

— Il ne vous semble pas qu'elle a de la classe ? s'énerva le directeur.

— Bien sûr, même un peu trop pour une pension de ce genre, répondit Firmino.

— Vous n'avez jamais entendu parler du « Bacchus » ? demanda le directeur.

Firmino ne dit rien.

— Une époque révolue, continua le directeur, c'était un bar mythique, tous les gens qui comptaient à Porto y passaient, et même ceux qui ne comptaient pas. Et aux petites heures, quand un verre de trop finit par provoquer une belle commotion dans la vie de chacun, nous allions tous pleurer un petit coup sur les épaules de la propriétaire. Laquelle n'était autre que Dona Rosa.

— Et c'est ainsi qu'elle a fini ? s'exclama Firmino.

— Écoutez, Firmino, dit le directeur, ne me cassez pas les couilles et gardez votre calme, pour le moment vous allez rester là-bas et regarder comment les choses se combinent. Dans ces affaires il faut être patient, c'est une vertu que vous devez apprendre.

— Oui, dit Firmino, mais c'est samedi, je pourrais prendre le train ce soir pour passer la journée de dimanche et la matinée de lundi à Lisbonne, vous ne croyez pas ?

— Excusez-moi, jeune homme, mais qu'est-ce que vous voulez faire à Lisbonne le dimanche et le lundi matin ?

— Ça me semble clair, répondit Firmino avec fougue, je passe le dimanche auprès de mon amie, car je crois en avoir le droit, et le lundi matin je vais à la Bibliothèque Nationale.

La voix du directeur prit un ton légèrement irrité.

— L'amie passe encore, dit-il, nous avons tous une période romantique dans notre vie, mais vous pouvez me dire ce que vous irez faire un lundi matin à la Bibliothèque Nationale ?

Firmino s'apprêta à donner une explication plausible. Il savait qu'avec son directeur il fallait du tact.

— Il y a, au département des manuscrits, une lettre d'Elio Vittorini à un écrivain portugais, répondit-il, c'est le *doutor* Luíz Braz Ferreira qui me l'a dit.

Le directeur resta un moment silencieux et toussa dans le combiné.

— Et c'est qui, ce *doutor* Luíz Braz Ferreira ?

— Un grand expert de manuscrits à la Bibliothèque Nationale, répondit Firmino.

— Grand bien lui fasse, répondit le directeur d'un ton méprisant.

— Que voulez-vous dire ? demanda stupidement Firmino.

— Je veux dire grand bien lui fasse, c'est son affaire, répéta le directeur.

— Excusez-moi, Monsieur le Directeur, insista Firmino en s'efforçant de rester courtois, mais le *doutor* Braz Ferreira connaît tous les manuscrits du XXᵉ siècle conservés à la Bibliothèque Nationale.

— Il connaît aussi les cadavres décapités ? demanda le directeur.

— Je ne crois pas qu'ils relèvent de sa compétence, dit Firmino.

— Alors tant pis pour lui, conclut le directeur, moi, ce sont les cadavres décapités qui m'intéressent, et vous aussi, en ce moment.

— Oui, dit Firmino, d'accord, mais apprenez que la lettre en question concerne les livres des « Três Abelhas » et, que cela vous intéresse ou non, ces livres ont été fondamentaux pour la culture portugaise de la fin des années cinquante, parce qu'ils publiaient les Américains et arrivaient tous par le biais de Vittorini, dont l'anthologie intitulée *Americana* avait été publiée en Italie.

— Écoutez, jeune homme, coupa court le directeur, vous travaillez pour l'*Acontecimento*, c'est-à-dire pour moi, et l'*Acontecimento* vous donne un salaire. Alors moi je veux que vous restiez à Porto, et surtout que vous demeuriez à la pension de Dona Rosa. N'allez pas trop vous promener et cessez de penser aux grands systèmes du monde, vous vous occuperez de littérature quand vous en aurez la possibilité, pour le moment asseyez-vous sur le divan pour raconter des plaisanteries à Dona Rosa, et surtout écoutez les siennes, elle en connaît d'excellentes, à présent salut.

Le téléphone fit clic, et Firmino regarda d'un air désespéré Dona Rosa qui entrait par la porte de la salle à manger.

— Ne vous en faites pas, mon petit, dit Dona Rosa avec bienveillance et comme si elle avait tout entendu, les directeurs sont ainsi, autoritaires, moi aussi, dans la vie, j'en ai connu des hommes autoritaires, il faut être patient, un de ces quatre matins je vous expliquerai comment s'y prendre avec les gens autoritaires, mais l'important est de bien faire son travail.

Puis elle ajouta d'un ton maternel :

— Pourquoi n'allez-vous pas faire une petite sieste ? vous avez les yeux cernés, votre chambre est fraîche et les draps sont propres, je les fais changer tous les jours.

Firmino regagna sa chambre. Il s'enfonça dans un beau sommeil comme il le désirait et rêva d'une plage à Madère, d'une mer bleue, et de son amie. Quand il se réveilla c'était l'heure de dîner, il endossa une veste et descendit. Il eut plaisir à trouver un plat de son enfance, des merlans frits. Il mangea goulûment, soigné avec attention par la jeune serveuse, une grosse garçonne robuste et presque moustachue. L'Italien de la table à côté essaya de lancer une conversation sur la cuisine, et se mit à décrire un plat composé d'anchois et de poivrons en disant que c'était une spécialité du

Piémont. Firmino fit aimablement semblant de s'y intéresser. C'est à ce moment-là que Dona Rosa s'approcha de lui et lui glissa dans l'oreille :

— La tête a été retrouvée.

Firmino était en train de regarder les têtes des merlans, qui étaient restées dans l'assiette.

— La tête ? demanda-t-il stupidement, quelle tête ?

— La tête qui manquait au cadavre, dit aimablement Dona Rosa, mais il n'y a pas d'urgence, finissez d'abord de manger, ensuite je vous donnerai toutes les indications sur l'affaire. Je vous attends au salon.

Firmino ne réussit pas à garder son calme et la suivit avec précipitation.

— C'est monsieur Diocleciano qui l'a trouvée, dit calmement Dona Rosa, il l'a repêchée dans le Douro, à présent asseyez-vous et écoutez-moi bien, mettez-vous à côté de moi.

Elle tapota deux petits coups sur le divan selon son habitude, comme pour l'inviter à prendre le thé.

— Mon ami Diocleciano a quatre-vingts ans, continua Dona Rosa, il a été vendeur ambulant, batelier, et à présent il est pêcheur de cadavres et de suicidés dans le Douro. On dit que dans sa vie il a retiré du fleuve plus de sept cents corps. Il donne les corps des noyés à la morgue qui, elle, lui verse un salaire. C'est son travail. Mais dans ce cas précis il était au courant et il n'a pas encore remis la tête aux autorités. Il est aussi gardien des âmes à l'Arco das

Alminhas, comme quoi il ne s'occupe pas seulement des cadavres mais aussi de leur repos éternel, il allume des cierges dans ce lieu béni, dit des prières pour eux, etc. La tête se trouve chez lui, il l'a repêchée dans le fleuve il y a environ deux heures et il m'a prévenue, voici l'adresse. Mais à votre retour ne négligez pas de vous arrêter à l'Arco das Alminhas et d'y faire une prière pour les défunts, à propos n'oubliez pas de prendre votre appareil photographique, avant que la tête ne finisse à la morgue.

Firmino monta dans sa chambre, prit l'appareil photographique et partit à la recherche d'un taxi en se moquant bien des critiques d'un de ses confrères envieux qui écrivait dans son journal que les collaborateurs de l'*Acontecimento* prenaient trop le taxi. Le trajet fut bref, à travers les petites rues du centre historique. L'habitation de Monsieur Diocleciano était une vieille maison à l'entrée décrépite. Une grosse vieille dame vint l'accueillir.

— Diocleciano vous attend au salon, dit-elle en lui ouvrant le chemin.

Le salon de la famille de Diocleciano était une pièce spacieuse avec un lampadaire à pendeloques. Les meubles avaient été achetés dans un quelconque supermarché, de faux meubles anciens, aux pieds dorés, recouverts de plaques de verre. Au milieu de la grande table, sur un plat, comme dans l'histoire biblique, se trouvait la tête. Firmino la regarda un instant avec une certaine répulsion, puis il regarda Monsieur Diocleciano qui était assis à la place d'honneur, comme s'il présidait un dîner important.

— Je l'ai repêchée à l'embouchure du Douro, dit-il pour information, j'avais jeté les hameçons pour les chevennes et un petit filet pour les crevettes, elle a fini dans un des filets.

Firmino regarda la tête sur le plat en essayant de vaincre sa répulsion. Elle était probablement dans le fleuve depuis quelques jours. Elle était gonflée et violette, un des yeux avait été mangé par les poissons. Il chercha à lui donner un âge, sans y parvenir. Elle pouvait être aussi bien celle d'un homme de vingt ans que de quarante.

— Je dois la livrer, dit tranquillement Monsieur Diocleciano comme si c'était la chose la plus naturelle du monde, si vous voulez la photographier dépêchez-vous, parce que je l'ai pêchée vers cinq heures et je ne pourrai plus mentir très longtemps.

Firmino prit son appareil et se mit à la tâche. Il photographia la tête de face et de profil.

— Vous avez vu ici ? demanda Monsieur Diocleciano, approchez-vous.

Firmino ne bougea pas. Monsieur Diocleciano pointait son doigt sur la tempe.

— Regardez ici.

Firmino s'approcha enfin et vit la perforation.

— C'est un trou, dit-il.

— Une balle, précisa Monsieur Diocleciano.

Firmino demanda à Monsieur Diocleciano s'il pouvait téléphoner, juste un rapide coup de fil. On l'accompagna jusqu'à l'appareil qui se trouvait dans l'entrée. Au journal, il y avait le répondeur. Firmino laissa un message au directeur.

— C'est Firmino, la tête du décapité a été récupérée dans le fleuve par un pêcheur de cadavres. Je l'ai photographiée. Elle a une perforation de balle dans la tempe gauche. Je vous envoie tout de suite la photo par fax ou par un autre moyen, je passe à l'agence Luso, peut-être pouvez-vous faire une édition spéciale, je pense ne rien écrire pour l'instant, les commentaires sont inutiles, appelons-nous demain.

Il sortit dans la chaude nuit de Porto. Prendre un taxi ne lui disait plus rien, il avait à présent besoin d'une belle promenade. Mais pas jusqu'au fleuve, même s'il se trouvait à deux pas. Il n'avait aucune envie de regarder le fleuve, ce soir-là.

VIII

Firmino fut réveillé à huit heures par l'inter-phone. C'était la voix virile de la serveuse.

— Votre directeur vous demande au téléphone, il dit que c'est urgent.

Firmino descendit en quatrième vitesse, en robe de chambre. La pension était encore endormie.

— Les rotatives démarrent dans une demi-heure, dit le directeur, je fais une édition spéciale aujourd'hui même, juste deux pages avec toutes vos photographies, le texte n'est pas nécessaire, pour le moment il est préférable que vous gardiez le silence, le visage mystérieux sera diffusé à trois heures de l'après-midi dans tout le pays.

— Elles étaient comment, les photos ? s'informa Firmino.

— Horribles, dit le directeur, mais celui qui le veut pourra le reconnaître.

Firmino eut un frisson dans le dos en pensant à l'effet qu'allait produire le journal : pire qu'un film d'horreur. Il se hasarda à demander timidement comment les photos allaient être disposées.

— À la une, la photographie du visage pris de face, répondit le directeur, dans les deux pages intérieures le profil gauche et le profil droit, et sur la dernière page une photo classique de Porto avec le Douro et le pont en fer, bien entendu en couleurs.

Firmino remonta dans sa chambre. Il prit une douche, se rasa, enfila une paire de pantalons de coton et un polo rouge que lui avait offert sa copine. Il prit rapidement un café et sortit dans la rue. C'était dimanche, la ville était presque déserte. Les gens dormaient encore, ils iraient plus tard à la mer. L'envie le prit d'y aller lui aussi, même s'il n'avait pas de costume de bain, juste pour respirer le bon air. Puis il y renonça. Il avait son guide avec lui et décida de partir à la découverte de la ville, par exemple les marchés, les zones populaires qu'il ne connaissait pas. En descendant par les venelles pentues de la ville basse, il commença de trouver une animation à laquelle il ne s'attendait pas. Décidément, Porto maintenait certaines traditions que Lisbonne avait désormais perdues, telles les marchandes de poissons avec des paniers remplis sur la tête, et puis les cris des vendeurs ambulants qui lui rappelaient son enfance : les ocarinas des rémouleurs, les petites trompettes grinçantes des marchands de légumes. Il traversa la Praça da Alegria, aussi allègre que son nom le promettait. Il y avait un petit marché aux éventaires peints en vert où l'on vendait un peu de tout : des vêtements usagés, des fleurs, des légumes, des jouets populaires en bois et des objets de poterie artisanale. Il acheta une petite assiette en terre cuite sur laquelle une main ingénue avait peint la tour des Clérigos. Cela plairait certainement à son amie. Il parvint au Largo do Padrão et trouva un marché qui n'en était pas vraiment un, des paysans et des poissonnières avaient simplement installé des étals provisoires dans les embrasures des portes et sur les trottoirs de la Rua de Santo Ildefonso. Il arriva ensuite aux Fontainhas, où se tenait un petit marché aux puces. De nombreux stands étaient fermés, parce que le marché avait surtout lieu le samedi, mais quelques commerçants faisaient des affaires aussi le dimanche matin. Il s'arrêta à un éventaire de petites cages enfermant des oiseaux exotiques. Des étiquettes en papier indiquaient le nom de l'oiseau et son lieu de provenance. La plupart venaient du Brésil et de Madère. Firmino songea à Madère, et combien cela aurait été beau d'y passer les vacances de rêve promises par les grands panneaux publicitaires d'Air Portugal. À côté se trouvait un étalage de livres d'occasion et Firmino se mit à fouiller dans le tas. Il découvrit un vieux livre qui racontait comment la ville, au siècle dernier, communiquait avec le monde. Il jeta un œil sur le chapitre consacré aux journaux et aux annonces publicitaires de l'époque. Il découvrit qu'au début du XIXe siècle avait existé un journal intitulé *O Artilheiro* où avait paru cette belle annonce : « Les personnes qui désirent envoyer des paquets à Lisbonne ou à Coimbra en ayant recours à nos chevaux peuvent déposer la marchandise à un relais de poste situé face à la Manufacture des Tabacs. » La page suivante était consacrée à un journal qui s'appelait *O Periódico dos Pobres* et dans lequel paraissaient gratuitement les annonces des tripiers, du fait que ceux-ci étaient considérés comme d'utilité publique. Firmino éprouva un élan de sympathie pour cette ville à l'égard de laquelle il avait longtemps ressenti, sans la connaître, une certaine méfiance. Il en conclut que nous étions tous en proie aux préjugés et que sans s'en rendre compte il avait manqué d'esprit dialectique, cette dialectique fondamentale à laquelle Lukács tenait tant.

Il regarda sa montre et décida d'aller manger quelque chose, c'était l'heure du déjeuner, et il se dirigea intuitivement vers le café Âncora. L'endroit était très animé, y compris la partie réservée au restaurant. Firmino trouva une table libre et s'assit. Le garçon sympathique arriva presque aussitôt.

— Vous avez trouvé le gitan ? demanda-t-il avec un sourire.

Firmino fit signe que oui.

— On reparlera des gitans un peu plus tard, si vous le voulez bien, dit le garçon, dans le cas où vous désireriez un plat rapide et frais je vous recommande aujourd'hui la salade de poulpes avec huile, citron et persil.

Firmino acquiesça, et une minute plus tard le garçon arrivait avec un plateau.

— Ça vous embête si je m'assieds un moment ? demanda-t-il.

Firmino l'invita à s'asseoir.

— Excusez-moi, dit le garçon de façon très polie, puis-je vous demander quel est votre métier ?

— Je suis journaliste, répondit Firmino.

— Bon sang, s'exclama le garçon, mais alors vous pouvez nous aider. Où, à Lisbonne ?

— À Lisbonne, confirma Firmino.

— Nous sommes en train de nous mobiliser en faveur des gitans du Portugal, susurra le garçon, je ne sais pas si vous êtes au courant des manifestations xénophobes qui ont eu lieu dans certains villages des environs, vous avez vu ça ?

— J'en ai entendu parler, répondit Firmino.

— Ils n'en veulent pas, dit le garçon, dans une petite ville, ils les ont même frappés, c'est une véritable vague de racisme. Je ne sais pas qui soulève la population, mais on peut le deviner et, nous, nous ne voulons pas que le Portugal devienne un pays raciste, ç'a toujours été un pays tolérant, je fais partie d'une association qui s'appelle Droits des Citoyens, on recueille des signatures, est-ce que vous signeriez ?

— Volontiers, répondit Firmino.

Le garçon tira de sa poche une feuille remplie de signatures, avec l'en-tête « Droits du Citoyen ».

— Je ne devrais pas vous la faire signer dans le restaurant, précisa-t-il, parce qu'il est interdit de recueillir des signatures dans les lieux publics, nous avons des centres à cet effet, dispersés dans toute la ville, mais tant que le patron ne nous observe pas, voilà, une signature ici, avec vos coordonnées et un numéro de passeport ou de carte d'identité.

Firmino écrivit son nom, le numéro de sa carte d'identité et, sous la rubrique « profession », il écrivit : journaliste.

— Vous ne nous écririez pas un article dans votre journal ?

— Je ne peux pas vous le promettre, dit Firmino, car je suis présentement occupé par un autre reportage.

— Il y a de sales affaires à Porto, observa le garçon.

À cet instant, un crieur de journaux entra dans le café, un tout jeune homme. Il portait une pile de journaux sous le bras et, tout en faisant le tour des tables, il disait : « On a retrouvé la tête du décapité, le mystère de Porto. »

Firmino acheta l'*Acontecimento*. Il y jeta un rapide coup d'œil et le plia soigneusement en quatre parce qu'il se sentait mal à l'aise. Il le mit dans sa poche et sortit. Le mieux était de rentrer à la pension.

Dona Rosa, assise sur le divan dans le petit salon, tenait l'*Acontecimento* déplié devant elle. Elle baissa le journal et regarda Firmino.

— Quelle horreur, susurra-t-elle, pauvre âme. Et pauvre de vous, mon petit, ajouta-t-elle, devoir affronter ces misères à votre âge.

— C'est la vie, soupira Firmino en s'asseyant à côté d'elle.

— Les prétendants au trône se portent mieux, observa Dona Rosa, j'ai lu dans *Vultos* un reportage sur une très belle réception à Madrid, ils sont tous tellement élégants.

Le téléphone sonna à cet instant et Dona Rosa alla répondre, Firmino l'observait. Dona Rosa fit un signe de la tête et elle l'appela en pliant son index à deux reprises.

— Allô, dit Firmino.

— Vous avez de quoi écrire ? demanda la voix.

Firmino reconnut aussitôt la voix qui lui avait téléphoné la fois précédente.

— J'ai de quoi écrire, répondit-il.

— Ne m'interrompez pas, dit la voix.

— Je ne vous interromprai pas, le tranquillisa Firmino.

— La tête appartient à Damasceno Monteiro, dit la voix, vingt-huit ans, il travaillait comme garçon de course à la *Stones of Portugal*, et habitait Rua dos Canastreiros, vous trouverez le numéro vous-même, c'est dans la Ribeira, devant une fontaine, et chargez-vous d'aviser la famille, moi je ne peux pas le faire, pour des raisons qu'il m'est impossible de vous expliquer, au revoir.

Firmino raccrocha et composa aussitôt le numéro du journal, en regardant les notes qu'il avait écrites sur son carnet. Il demanda à parler au directeur, mais la téléphoniste lui passa Monsieur Silva.

— Allô, Huppert, répondit Silva.

— C'est Firmino, dit Firmino.

— Les tripes sont bonnes ? demanda Silva d'un ton sarcastique.

— Écoutez, Silva, dit Firmino en soulignant bien le nom, pourquoi vous n'allez pas vous faire foutre ?

Il y eut un silence à l'autre bout du fil, puis Monsieur Silva demanda d'une voix scandalisée :

— Qu'avez-vous dit ?

— Vous avez très bien compris, dit Firmino, et maintenant passez-moi le directeur.

Il entendit une petite musique, puis ce fut la voix du directeur.

— Il s'appelle Damasceno Monteiro, dit Firmino, vingt-huit ans, il travaillait comme garçon de course à la *Stones of Portugal* à Vila Nova de Gaia, je me charge d'aller aviser la famille, c'est dans la Ribeira, ensuite j'irai à la morgue.

— Il est quatre heures, répondit le directeur avec flegme, si vous réussissez à m'envoyer le reportage avant neuf heures, on sort demain une autre édition spéciale, celle d'aujourd'hui a été épuisée en une heure, et pensez un peu, aujourd'hui c'est dimanche, beaucoup de kiosques étaient fermés.

— J'essaierai, dit Firmino sans conviction.

— Il le faut, précisa le directeur, et attention, avec beaucoup de détails pittoresques, appuyez sur le pathétique et sur le dramatique, comme un beau roman-photo.

— Ce n'est pas mon style, répondit Firmino.

— Eh bien cherchez-vous un autre style, répliqua

le directeur, un style qui serve à l'*Acontecimento*.
Et n'oubliez pas de faire un gros morceau, bien
long.

IX

« Le décor de cette triste, mystérieuse et, ajoute-rons-nous, truculente histoire, est la rieuse ville ouvrière de Porto. Oui, ni plus ni moins que notre très portugaise ville de Porto, agréable cité caressée par de douces collines et sillonnée par le tranquille Douro sur lequel naviguent depuis les temps les plus reculés les caractéristiques *Rabelos* qui, des régions de l'intérieur, apportent dans des tonneaux de chêne le précieux nectar jusqu'aux caves de la ville, un nec-tar qui, élégamment mis en bouteille, prendra la route des pays les plus éloignés du monde, contri-buant à la réputation impérissable d'un des vins les plus appréciés de la planète.

» Et les lecteurs de notre journal savent que cette histoire triste, mystérieuse et truculente concerne rien moins qu'un cadavre décapité : misérable dépouille d'un inconnu, atrocement mutilée, aban-donnée par l'assassin (ou les assassins) dans un ter-rain vague de la périphérie, comme s'il s'agissait d'une vieille chaussure ou d'une casserole trouée.

» C'est malheureusement ainsi que semblent aller les choses au jour d'aujourd'hui dans notre pays. Un pays qui n'a retrouvé que récemment la démocratie et qui a été accueilli par la Communauté Européenne en compagnie des pays les plus civilisés et les plus avancés du vieux continent. Un pays composé de gens honnêtes et laborieux qui, le soir, rentrent fatigués à leur domicile après une dure journée de travail et frissonnent de peur en lisant les atroces faits divers que la presse libre et démocratique, comme ce journal, doit malheureusement leur fournir, même s'il le fait la mort dans l'âme.

» Car c'est vraiment la mort dans l'âme, et avec un profond trouble, que votre envoyé spécial à Porto se sent tenu par la déontologie professionnelle de vous décrire la triste, mystérieuse et truculente histoire qu'il a lui-même vécue à la première personne. Une histoire qui commence dans un des innombrables hôtels de cette ville, où votre envoyé spécial reçoit un appel téléphonique anonyme : parce que, comme tous les journalistes qui suivent des affaires difficiles, il reçoit des appels anonymes par dizaines. Il répond au téléphone avec le scepticisme d'un vieux reporter au long cours, préparé à ce qu'un mythomane quelconque lui dise que tel délégué communal est corrompu ou que la femme du président de tel club sportif couche avec un toréador... Et pourtant, non. La voix est sèche, presque autoritaire, avec un accent du Nord assez marqué : un ton juvénile, qui aurait pu sembler arrogant si l'interlocuteur n'avait pas parlé à voix basse. Il disait : la tête appartient à Monsieur Damasceno Monteiro, âgé de vingt-huit ans, il travaillait comme garçon de course pour l'entreprise *Stones of Portugal,* sa résidence se trouve dans la Ribeira, Rua dos Canastreiros, je ne connais pas le numéro parce que la maison n'en porte pas, c'est devant la fontaine, avisez vous-même la famille car moi, je ne peux pas le faire, pour des raisons que je n'ai pas à vous expliquer, au revoir. Votre envoyé spécial demeure interdit. Lui, un journaliste chevronné dans la cinquantaine et qui, durant sa vie, a connu les situations les plus horribles, se voit dans l'obligation d'assumer la tâche douloureuse, en même temps que chrétienne, d'aller annoncer le décès à la famille. Que faire ? Votre envoyé spécial est traversé par le doute, mais il ne se laisse pas décourager. Il sait que sa profession prévoit aussi des missions comme celle-ci, à la fois douloureuses et incontournables. Il descend dans la rue, prend un taxi et se fait conduire dans la Ribeira, Rua dos Canastreiros. Et c'est ici une autre vision de la rieuse ville ouvrière de Porto qui s'ouvre, pour laquelle la plume de votre envoyé spécial est inadéquate parce qu'il faudrait recourir à un sociologue ou à un anthropologue : qualification que votre envoyé spécial ne possède évidemment pas. Ribeira, la zone la plus populaire de la ville, la glorieuse Ribeira qui appartient aux artisans, aux tonneliers, au petit peuple des siècles passés, étendue le long des rives du Douro ; cette Ribeira que certains guides touristiques superficiels essayent de faire passer pour le lieu le plus pittoresque de la ville, eh bien, qu'est-ce en vérité ? Votre envoyé spécial ne veut pas tomber dans la rhétorique facile, il ne veut pas recourir à d'illustres exemples littéraires, aussi suspend-il son jugement. Il se limitera à vous décrire la maison, appelons-la ainsi, une maison comme il y en a tant dans la Ribeira, qui appartient à la famille de la victime. L'entrée sert aussi de cuisine, avec un misérable réchaud à gaz et un robinet. Une paroi en carton sépare l'entrée et le petit cube qui tient lieu de chambre à coucher aux parents de Damasceno Monteiro. La chambre de Damasceno est creusée dans le sous-sol du bâtiment, où l'on n'entre qu'en baissant la tête : un matelas, une couverture de type mexicain et un poster d'un Indien Dakota au mur. Les toilettes se trouvent dans la cour intérieure, et sont utilisées par l'ensemble des habitants de l'immeuble.

» Votre envoyé spécial, porteur de la terrible nouvelle, a réussi à balbutier qu'il était un journaliste de Lisbonne et qu'il suivait l'affaire du cadavre décapité. C'est la mère qui l'a reçu, une femme d'une cinquantaine d'années à l'air malade. Elle lui a dit que, jusqu'au mois dernier, elle gagnait un salaire en faisant la lessive et le repassage pour certaines familles de Porto, mais qu'elle avait dû renoncer à son travail, parce qu'elle souffrait de pertes sanguines, le médecin avait diagnostiqué un fibrome et elle s'était soignée auprès d'une guérisseuse de la Ribeira qui prépare des décoctions. Mais les décoctions ne lui avaient rien fait, au contraire, les hémorragies avaient augmenté : à présent elle devait se faire hospitaliser, mais il n'y avait pas de lit disponible pour le moment, de sorte qu'elle devait attendre. Son mari, Monsieur Domingos, était autrefois vannier mais, depuis qu'il ne travaillait plus, il s'était mis à aller boire des verres tous les soirs. Il prenait désormais de l'Antabuse, parce qu'il était devenu alcoolique. Il prenait donc de l'Antabuse, selon l'avis du médecin, mais il continuait de boire de l'eau-de-vie en même temps, ce qui lui procurait des crises d'intoxication durant lesquelles il vomissait à longueur de journée. Et en ce moment il était là, dans la chambre, à vomir. Damasceno était leur seul fils, a dit la mère, Maria de Lourdes. Ils avaient aussi une fille de vingt et un ans qui avait émigré à Bruxelles pour faire la serveuse dans un bar, mais ils n'avaient plus de ses nouvelles depuis longtemps.

» Votre envoyé spécial a donc dû apprendre à la pauvre femme bouleversée que la tête se trouvait à la morgue de l'Institut médico-légal, et qu'il fallait qu'elle vienne procéder à la reconnaissance. La malheureuse mère s'est précipitée dans la chambre et est revenue un instant après, chaussée de sandales noires à hauts talons et couverte d'un châle à franges. Elle a dit que ces vêtements lui avaient été donnés par la chanteuse d'une boîte de nuit de Porto, la « Borboleta Nocturna », où son fils Damasceno allait faire de petites réparations électriques, et que c'étaient les seuls vêtements décents en sa possession.

» Quand, après avoir inutilement cherché un moyen de transport, votre envoyé spécial et la pauvre mère sont arrivés à l'Institut médico-légal, le médecin venait à peine de retirer ses gants et mangeait un sandwich. C'était un médecin jeune et sympathique, à l'air sportif. Il a demandé si nous étions venus pour la reconnaissance, et il a précisé qu'il était pressé, parce qu'il y avait ce soir-là un match de hockey sur roulettes des *Invictos,* équipe dans laquelle il jouait comme gardien. Il nous a introduits dans la salle contiguë, et...

» Eh bien : ce que j'éviterai de décrire à mes lecteurs, mais que tous peuvent certainement imaginer, c'est la réaction de la pauvre mère. Un cri étouffé : Damasceno ! mon petit Damasceno ! Une sorte de sanglot, presque un râle, et un bruit sourd venu du sol : la pauvre femme s'était effondrée avant qu'on puisse la secourir. La tête, cette épouvantable tête, était posée sur une table de marbre, comme un fétiche amazonien. Elle était coupée le long du cou de manière régulière et précise, comme si le travail avait été effectué avec une scie électrique. Le visage était gonflé et violet, parce qu'il était probablement resté dans le fleuve pendant quelques jours, mais la physionomie était reconnaissable, celle d'un jeune homme aux traits prononcés et réguliers dans lesquels on déchiffrait une certaine noblesse populaire : les cheveux noirs, le nez effilé, la mâchoire forte : Damasceno Monteiro. »

Dona Rosa leva les yeux du journal, regarda Firmino et dit :

— Vous m'avez donné des frissons, tant c'est réaliste, et en même temps écrit de façon classique.

— Ce n'est pas vraiment mon style, tenta d'expliquer Firmino avant d'être interrompu.

— En tout cas votre directeur est enthousiaste, s'exclama Dona Rosa, il dit qu'on s'est arraché l'édition spéciale.

— Bah, commenta Firmino.

— Vous êtes courageux, dit Dona Rosa avec admiration, c'est ça qui me plaît, un journal courageux, pas comme la revue *Vultos* qui ne parle que de réceptions élégantes.

— Le directeur m'a dit que notre journal allait appuyer la famille Monteiro pour se constituer partie civile, dit Firmino, et nous avons besoin d'un avocat. Sauf que nous ne roulons pas sur l'or, nous avons besoin d'un avocat qui puisse nous faire un bon prix, et il m'a suggéré de vous demander conseil, Dona Rosa, parce qu'il dit que vous connaîtrez à coup sûr un avocat qui convienne à notre affaire.

— Bien sûr que j'en connais un, assura Dona Rosa, quand voulez-vous le rencontrer ?

— Demain ce serait parfait, dit Firmino.

— À quelle heure ?

— Je ne sais pas, réfléchit Firmino, à l'heure du déjeuner par exemple, je pourrais passer chez lui et l'inviter à manger, mais qui est-ce ?

Dona Rosa fit un sourire et prit son souffle.

— Fernando Diogo Maria de Jesus de Mello de Sequeira, dit-elle.

— Sacré bon Dieu, s'exclama Firmino, quel nom.

— Mais si vous l'appelez ainsi personne ne saura de qui il s'agit, ajouta Dona Rosa, il faut dire avocat

Loton, c'est sous ce nom que tout le monde le connaît à Porto.

— C'est un surnom ? demanda Firmino.

— C'est un surnom, répondit Dona Rosa, parce qu'il ressemble à cet acteur anglais un peu grassouillet qui jouait toujours des rôles d'avocat.

— Vous voulez dire Charles Laughton ? demanda Firmino.

— À Porto on dit Loton, coupa court Dona Rosa. Puis elle ajouta :

— Il appartient à une famille de très ancienne noblesse qui, dans les siècles passés, possédait presque toute la région, et qui maintenant a pour ainsi dire tout perdu. C'est un génie, à le voir habillé comme il est on ne lui donnerait pas quatre sous, mais c'est un génie, il a étudié à l'étranger.

— Excusez-moi, Dona Rosa, demanda Firmino, mais pourquoi devrait-il accepter de défendre les intérêts de la famille de Damasceno Monteiro ?

— Parce que c'est l'avocat des démunis, répondit Dona Rosa, dans sa vie il a toujours défendu les pauvres diables, c'est sa vocation.

— Dans ce cas, répondit Firmino, où puis-je le trouver ?

Dona Rosa prit un morceau de papier et elle écrivit l'adresse.

— Pour le rendez-vous je m'en occupe, dit-elle, ne vous en faites pas, allez le trouver à midi.

À cet instant, le téléphone sonna. Dona Rosa alla répondre et regarda Firmino en faisant son habituel signe de l'index pour l'appeler.

— Allô, dit Firmino.

— L'identification a été faite, dit la voix, vous voyez que j'avais raison.

— Écoutez, dit Firmino en saisissant l'occasion au vol, ne raccrochez pas, vous avez besoin de me parler, je le sens, vous avez des choses importantes à révéler et vous voulez me les dire, moi aussi j'aimerais que vous me les disiez.

— Certainement pas au téléphone, dit la voix.

— Certainement pas au téléphone, approuva Firmino, dites-moi où et quand.

Il y eut un silence à l'autre bout du fil.

— Demain matin ? demanda Firmino, ça vous va demain matin à neuf heures ?

— D'accord, dit la voix.

— Où ? demanda Firmino.

— À San Lázaro, dit la voix.

— Qu'est-ce que c'est ? demanda Firmino, je ne suis pas de Porto.

— C'est un jardin public, répondit la voix.

— Comment je vous reconnaîtrai ? demanda Firmino.

— C'est moi qui vous reconnaîtrai, choisissez un banc où vous serez seul et posez votre journal sur les genoux, s'il y a quelqu'un avec vous, je ne m'arrête pas.

Le téléphone fit clic.

X

Sur la pelouse à l'anglaise devant lui, vêtu d'une combinaison sportive, se trouvait un monsieur à cheveux gris qui faisait des exercices de gymnastique. Il partait de temps en temps d'un timide pas de course en soulevant difficilement ses pieds, puis il revenait à son point de départ, à côté d'un dober-man couché qui lui faisait fête à chaque retour. L'homme semblait très satisfait, comme s'il avait fait la chose la plus importante du monde.

Firmino regarda le journal qu'il tenait bien déplié sur ses genoux. C'était l'*Acontecimento*, avec le gros titre de l'édition spéciale. Firmino plia cette partie du journal et ne laissa en vue que le titre. Il prit un bonbon et attendit. Il n'avait aucune envie de fumer à pareille heure, mais qui sait pourquoi, il alluma une cigarette. Devant lui passèrent successivement une vieille dame avec un cabas et un enfant tenant la main de sa mère. Il regardait tranquillement le mon-sieur qui faisait des exercices de gymnastique. Et il chercha à garder cette même tranquillité quand un

jeune homme vint s'asseoir à l'angle opposé du banc.
Firmino lui jeta un coup d'œil furtif. C'était un garçon d'environ vingt-cinq ans, il portait un bleu de
travail et lui aussi regardait tranquillement devant
lui. Le jeune homme alluma une cigarette. Firmino
écrasa la sienne par terre.

— Il voulait les rouler, murmura le garçon, mais
ce sont eux qui l'ont roulé.

Le garçon se tut et Firmino garda le silence. Un
silence qui lui parut interminable. Le monsieur qui
faisait des exercices de gymnastique passa devant eux
au pas de course.

— Ça s'est passé quand ? demanda Firmino.

— Il y a six jours, dit le jeune homme, pendant
la nuit.

— Approchez-vous, dit Firmino, je vous entends
mal.

Le jeune homme s'approcha en glissant sur le
banc.

— Essayez de raconter de façon logique, le pria
Firmino, surtout la succession des faits, n'oubliez pas
que je ne sais vraiment rien, il faut que vous me fas-
siez comprendre.

Sur la pelouse devant eux, le monsieur aux cheveux gris avait recommencé à faire ses exercices de
gymnastique. Le jeune homme se tut et alluma une
nouvelle cigarette. Firmino prit un autre bonbon.

— Tout cela à cause du gardien de nuit,
mâchonna le garçon, parce qu'il était de mèche avec
le Grillon Vert.

— Je vous en prie, répéta Firmino, de la logique, cherchez à raconter de façon logique.

Le garçon, tout en fixant la pelouse, commença de parler à voix basse.

— À la *Stones of Portugal*, où Damasceno était commis, il y avait un gardien de nuit, il est mort d'un coup de sang à l'improviste, c'était lui qui recevait la drogue dans les containers et qui la fournissait au Grillon Vert, et le Grillon Vert la revendait au « Butterfly », c'est-à-dire à la « Borboleta Nocturna » [1], le circuit fonctionnait ainsi.

— Qui c'est ce Grillon Vert ? demanda Firmino.

— C'est un sergent de la Guarda Nacional, répondit le garçon.

— Et la « Borboleta Nocturna » ?

— « Puccini's Butterfly », une discothèque de la côte, le local lui appartient, mais il l'a fait enregistrer au nom de sa belle-sœur, il est malin le Grillon Vert, c'est de là que la drogue est distribuée sur toutes les plages de Porto.

— Continuez, dit Firmino.

— Le gardien de nuit s'était mis d'accord avec des Chinois de Hong Kong qui camouflaient la drogue dans les containers des appareils de haute technologie. L'entreprise n'était au courant de rien, seul le gardien de nuit le savait et, bien entendu, le Grillon Vert qui, chaque mois, faisait sa ronde de nuit pour prendre les paquets. Mais Damasceno a lui aussi eu vent du trafic, je ne sais pas comment.

1. En portugais, *borboleta* signifie papillon. *(N.d.T.)*

Et c'est ainsi que, le jour où le gardien de nuit a eu son coup de sang, Damasceno est passé au garage où je travaille et m'a dit : ce n'est pas juste que tout cela revienne à la Guarda Nacional, cette nuit on va arriver avant eux, de toute façon le Grillon Vert ne doit passer que demain, son jour c'est demain. Moi, je lui ai dit : Damasceno, tu es fou, il ne faut pas jouer un coup tordu à des types comme ça, après ils se vengent, je ne veux rien avoir à faire là-dedans, oublie-moi. Il est passé chez moi le soir vers onze heures. Il n'avait pas de voiture et m'a demandé de l'accompagner avec la mienne, il se contentait de ça, que je l'accompagne, et si je ne voulais pas entrer, tant pis, il se débrouillerait tout seul. Il a fait appel à notre amitié. Ce qui fait que je l'ai emmené là-bas. Quand nous sommes arrivés, il m'a demandé si je voulais vraiment le laisser aller seul. Je l'ai suivi. Il est entré en propriétaire, comme si de rien n'était. Il avait les clés des bureaux, il a allumé les lumières et tout. Il a regardé dans les tiroirs pour chercher le code des containers. Chaque container a une ouverture à code. Tout a été très facile, Damasceno est allé ouvrir la porte du container, à l'évidence il savait parfaitement où se trouvait la marchandise, car il est revenu au bout de cinq minutes. Il avait trois grands sachets en plastique pleins de poudre, je crois que c'était de l'héroïne pure. Et aussi deux petits appareils électroniques. Tant qu'à faire, puisque nous sommes là, prenons aussi ça, a-t-il dit, nous les vendrons à une clinique privée d'Estoril qui en a besoin.

C'est à ce moment-là que nous avons entendu le bruit d'une voiture.

Le monsieur aux cheveux gris qui faisait des exercices de gymnastique avait rencontré quelqu'un, une femme avec une coupe de cheveux au carré qui l'avait salué d'un ton familier. Ils avaient tous deux traversé la pelouse et ils étaient arrivés au bord de la petite allée, juste devant le banc. La femme mûre à la coupe au carré lui disait qu'elle ne se serait vraiment pas attendue à le trouver en train de faire de la gymnastique, et le monsieur aux cheveux gris répondait que diriger une banque comme la sienne était un travail qui avait un très mauvais effet sur l'arthrose cervicale. Le garçon avait cessé de parler et regardait par terre.

— Continue, dit Firmino.

— Il y a trop de monde par ici, répondit le garçon.

— Changeons de banc, proposa Firmino.

— Je dois m'en aller, insista le garçon.

— Essaye au moins de conclure en vitesse, l'incita Firmino.

Le jeune homme commença de parler à voix basse, Firmino saisissait certaines choses, d'autres non. Il réussit à comprendre que le garçon, lorsqu'il avait entendu la voiture, s'était glissé dans une petite pièce. Que c'était une patrouille de la Guarda Nacional conduite par le dénommé Grillon Vert. Celui-ci avait pris Damasceno par le collet et lui avait donné quatre ou cinq gifles en l'enjoignant de les suivre, Damasceno avait refusé et lui avait répondu qu'il

allait le traîner dans la boue, parce qu'il le dénonce-
rait comme trafiquant, à ce moment-là les deux
agents de la patrouille l'avaient bourré de coups de
poing, puis ils l'avaient embarqué dans leur voiture
et ils étaient partis.

— Je m'en vais, dit nerveusement le garçon, à
présent je dois m'en aller.

— Attends un instant, s'il te plaît, dit Firmino.

Le garçon attendit.

— Tu es prêt à témoigner ? demanda prudemment Firmino.

Le garçon réfléchit.

— J'aimerais bien, répondit-il, mais qui va me
défendre ?

— Un avocat, répondit Firmino, nous avons un
bon avocat.

Et pour être plus convaincant il poursuivit :

— Et toute la presse portugaise. Aie confiance en
la presse.

Le garçon le regarda pour la première fois. Il avait
deux profonds yeux obscurs et une expression inof-
fensive.

— Laisse-moi un endroit où te contacter, demanda
Firmino.

— Téléphonez à l'atelier d'électriciens sur voitures Faísca, dit le garçon, demandez Leonel.

— Leonel comment ? demanda Firmino.

— Leonel Torres, répondit le garçon, mais je vous
ai raconté tout cela parce que je voulais me libérer la
conscience, ne l'écrivez pas pour le moment, ensuite
nous nous mettrons peut-être d'accord.

Il lui souhaita le bonjour et s'en alla. Firmino le regarda s'éloigner. Il était assez petit, avec un tronc trop long sur des jambes trop courtes. Qui sait pourquoi un autre Torres lui vint en tête. Mais celui-là, il ne l'avait jamais connu, il l'avait seulement vu dans certaines archives d'époque à la télévision. C'était un Torres tout en longueur, qui avait été l'idole de son père, le Torres qui jouait comme avant centre dans le Benfica des années soixante. Il ne savait pas jouer, disait son père, mais il lui suffisait de lever la tête et, plaf, le ballon filait dans le but comme par miracle.

XI

Il était midi et quart. Firmino pensa que c'était mieux ainsi, il ne voulait pas se montrer excessivement ponctuel. Il descendait par la Rua das Flores. C'était une belle rue, à la fois élégante et populaire. La touche populaire était donnée par les bordures de fenêtres fleuries de géraniums qui étaient peut-être à l'origine de la dénomination de la rue, et l'élégance par les bijouteries aux très riches vitrines. Firmino avait oublié de prendre son guide, ce qui, au fond, lui déplut. Tant pis, il lirait ça plus tard. La porte d'entrée était majestueuse, mais elle avait certainement connu des temps meilleurs, une porte cloutée en chêne, qui remontait peut-être au XVIIIe siècle. Elle était grande ouverte pour laisser entrer les automobiles, car il y avait un parking au fond de la cour. Il chercha une plaque au nom de l'avocat Mello Sequeira mais ne la trouva pas. Il entra dans le hall avec perplexité. Une concierge se trouvait là. Elle était assise dans une loge vitrée et elle était en train de tricoter.

C'était une concierge comme on peut en trouver à Porto et peut-être encore à Paris, mais seulement dans certains quartiers. Grassouillette, les seins abondants, avec une expression inquisitrice, d'une élégance bien à elle dans les vêtements et portant des savates à pompon.

— Je cherche l'avocat Mello Sequeira, dit Firmino.

— Vous êtes le journaliste ? demanda la concierge.

Firmino confirma.

— L'avocat vous attend, rez-de-chaussée, il y a quatre portes, frappez à celle que vous voulez, ce sont toutes les siennes, dit la concierge.

Firmino entra dans les couloirs de ce vieux bâtiment et frappa à la première porte. Il n'y avait pas de lumière dans le couloir, la porte s'ouvrit par un déclic, Firmino entra et la referma derrière lui. Il se trouva dans une salle énorme, avec des plafonds voûtés, dans une semi-pénombre. La pièce était tapissée de livres. Et le plancher était lui aussi encombré de livres, des piles de livres dans un équilibre précaire, des paquets de journaux et de papiers divers. Firmino tenta d'habituer ses yeux à la pénombre. À l'autre bout de la salle, il aperçut un homme affalé sur un canapé. C'était un homme gros, ou plutôt obèse, avec sa corpulence il occupait la moitié du canapé, à première vue on lui donnait une soixantaine d'années, peut-être un peu plus, il était chauve, avec un visage glabre, des joues tombantes et des lèvres charnues. Il se tenait la tête en arrière, fixant le plafond.

C'était bien vrai qu'il ressemblait à Charles Laughton.

— Enchanté, dit Firmino, je suis le journaliste de Lisbonne.

L'obèse lui indiqua un fauteuil d'un geste distrait et Firmino y prit place. À côté de l'homme, sur le canapé, se trouvait l'*Acontecimento*.

— C'est vous l'auteur de cette prose ? demanda-t-il d'une voix neutre.

— Oui, répondit Firmino avec un certain embarras, mais ce n'est pas exactement mon style, je dois m'adapter au style de mon journal.

— Puis-je vous demander quel est votre style ? demanda l'avocat d'un même ton neutre.

— J'essaie d'en avoir un à moi, répondit Firmino encore plus embarrassé, mais comme vous le savez le style découle aussi de la lecture des livres des autres.

— Quelles lectures par exemple, si vous le permettez ? demanda l'avocat.

Firmino ne sut quoi dire. Puis il répondit :

— Lukács, par exemple György Lukács.

L'obèse toussota. Il détacha ses yeux du plafond et finalement le regarda.

— Intéressant, répliqua-t-il, parce que Lukács a un style ?

— Bah, dit Firmino, je crois que oui, du moins à sa façon.

— Et quel serait-il ? demanda l'obèse toujours du même ton neutre.

— Celui du matérialisme dialectique, répondit précipitamment Firmino.

L'obèse toussota une nouvelle fois et il sembla à Firmino que ces accès de toux étaient une sorte de petit rire suffoqué.

— Parce que, selon vous, le matérialisme dialectique est un style ? demanda l'obèse avec impassibilité.

Firmino se sentit en difficulté. Il ressentit aussi une certaine irritation, cet avocat obèse inconnu de lui qui lui faisait subir un interrogatoire sur le style comme s'il s'était agi d'un examen universitaire, allons donc.

— Je voulais dire, précisa-t-il, que la méthodologie de Lukács me sert pour les études dont je m'occupe, un essai que je veux écrire.

— Vous avez lu *Histoire et Conscience de classe* ? demanda l'obèse.

— Bien sûr, répondit Firmino, je le considère comme un texte fondamental.

— C'est un texte qui date de 1923, commenta l'obèse, vous savez ce qui se passait en Europe dans ces années-là ?

— Plus ou moins, coupa court Firmino.

— Le cercle de Vienne, murmura l'obèse, Carnap, les fondements de la logique formelle, l'impossibilité d'une non-contradiction à l'intérieur d'un système, des bagatelles de ce genre. Quant au style de Lukács, vu que vous vous occupez de style, il serait préférable de n'en pas parler, vous ne trouvez pas ? Moi, ça me semble être le style d'un paysan hongrois familier des chevaux de la Puszta.

Firmino aurait voulu répliquer qu'il n'était pas là pour parler de style, mais il laissa tomber.

— À moi, ça me sert pour étudier le néo-réalisme portugais, précisa-t-il.

— Oh, bâilla l'obèse, le néo-réalisme portugais, ça oui qu'il faut quelqu'un pour en étudier le style.

— Pas le premier néo-réalisme, précisa encore Firmino, pas celui des années quarante, je m'intéresse au second, celui des années cinquante, après le passage tardif du surréalisme, je le définis comme néo-réalisme par convention, mais il est certain que c'est autre chose.

— Voilà qui me semble plus intéressant, murmura l'obèse, ça me semble plus intéressant, mais comme instrument d'enquête je ne choisirais pas précisément Lukács.

L'obèse le fixa et lui tendit une boîte en bois. Il lui demanda s'il voulait un cigare, Firmino refusa. L'obèse alluma un énorme cigare. On aurait dit un havane, il était très parfumé. Il se tut, et se mit à fumer tranquillement. Firmino regarda autour de lui d'un air perdu en observant la vaste pièce archicomble de livres, des livres partout, contre les parois, sur les sièges, sur le plancher, des paquets de papiers et de journaux.

— N'ayez pas le sentiment de vous trouver dans une situation kafkaïenne, dit l'obèse comme s'il avait lu dans ses pensées, vous avez certainement lu Kafka ou vous avez vu *Le Procès* avec Orson Welles, mais je ne suis pas Orson Welles, même si cet antre est plein de paperasses, et même si je suis obèse et fume un énorme cigare, ne vous trompez pas de personnage cinématographique, à Porto on m'appelle Loton.

— Je sais, répondit Firmino en rougissant.

— Venons-en au fait, dit l'obèse, dites-moi exactement ce que vous attendez de moi.

— Je croyais que Dona Rosa vous avait déjà tout dit, objecta Firmino.

— En partie, murmura l'obèse.

— Bien, dit Firmino, l'affaire est celle dont parle l'article que vous avez lu dans l'*Acontecimento*, même s'il n'est pas écrit dans un style qui vous plaît, et mon journal voudrait vous faire une proposition, la famille de Damasceno Monteiro n'a pas d'argent pour se payer un avocat, et c'est là que le journal entre en jeu, nous avons besoin d'un avocat, et nous avons pensé à vous.

— Je ne sais que vous dire, marmonna l'obèse, le fait est qu'en ce moment je m'occupe d'Angela, je suppose que vous en avez entendu parler, c'est dans les faits divers de la ville.

Firmino le regarda d'un air perplexe et confessa :

— Non, franchement non.

— La prostituée qui a été battue et a failli perdre la vie, dit l'obèse, son cas est dans les journaux de Porto, et c'est moi qui la défends. Dommage que vous, qui êtes dans la presse, suiviez aussi peu les journaux. Angela est une prostituée de Porto, elle a été contactée pour participer à une soirée « divertis-

sante », en province, c'est son protecteur qui l'a
conduite, elle a été emmenée dans une villa proche
de Guimarães où un jeune homme de bonne famille
l'a fait attacher par deux brigands et lui a infligé
diverses violences physiques, simplement parce que
c'était un caprice qu'il voulait assouvir, mais il ne
savait pas avec qui, alors il a choisi Angela, de toute
façon c'était une putain.

— Horrible, dit Firmino, et c'est vous qui la
défendez ?

— En effet, confirma l'avocat, et vous savez pourquoi ?

— Je ne sais pas, répondit Firmino, peut-être par
esprit de justice.

— Appelons cela ainsi, murmura l'obèse, c'est
aussi une définition possible. Sachez seulement que
le sadique en question est un jeune garçon, fils d'un
nouveau maître de la province venu de rien et qui
s'est enrichi sous les récents gouvernements, il s'agit
d'une bourgeoisie de la pire catégorie, née au
Portugal dans les vingt dernières années, faite d'argent, d'inculture et de beaucoup d'arrogance. Ce
sont des gens terribles, dont le compte doit être
réglé. La famille à laquelle j'appartiens a exploité
pendant des siècles les femmes comme Angela et les
a aussi violentées, peut-être pas comme l'a fait notre
jeune garçon, disons d'une manière plus élégante.
Nous pourrions émettre l'hypothèse, si vous voulez,
qu'il s'agit chez moi d'une espèce de correction tar-
dive apportée à l'Histoire, un renversement para-
doxal de la conscience de classe, non pas selon

les mécanismes primaires de votre Lukács, admettons que ça se place à un autre niveau, mais ce sont des éléments personnels que je préfère ne pas avoir à vous expliquer.

— Nous aimerions vous inviter à assumer pour nous le rôle d'avocat de la partie civile, abrégea Firmino, si nous réussissons à nous mettre d'accord sur vos honoraires.

L'obèse eut une de ces petites quintes de toux qui ressemblaient à un ricanement. Il secoua la cendre de son cigare dans le cendrier. Tout cela semblait l'amuser. Il fit un vague signe en indiquant la pièce.

— Cet immeuble m'appartient, dit-il, il appartenait à ma famille, et la rue adjacente m'appartient aussi, elle appartenait à ma famille. Je n'ai pas de descendance, tant que dure le patrimoine je peux me divertir.

— Et cette affaire vous divertit ? demanda Firmino.

— Ce n'est pas exactement ce que je voulais dire, répondit calmement l'avocat, mais je voudrais que vous soyez plus précis sur les éléments qui sont en votre possession.

— J'ai un témoin, dit Firmino, je l'ai rencontré ce matin dans un jardin public.

— Votre informateur est-il prêt à se présenter devant le juge ? demanda l'avocat.

— Si je le lui demande, je pense que oui, répondit Firmino.

— Bon, dit l'avocat, à présent venons-en aux faits.

— Selon le témoin, il semble qu'on ait tué Damasceno Monteiro dans la chambre de sûreté de la Guarda Nacional, lança Firmino.

— Guarda Nacional, murmura l'avocat.

Il tira une bouffée de son cigare et ricana :

— Mais alors c'est une Grundnorm.

Firmino le regarda d'un air désorienté que l'avocat sut lire sur son visage.

— Je ne puis prétendre que vous sachiez ce qu'est une Grundnorm, continua l'avocat, je me rends compte que nous, les hommes de loi, employons parfois un langage obscur.

— Je ne suis pas très ferré en la matière, se justifia Firmino, j'ai fréquenté la faculté de lettres.

— Vous connaissez Hans Kelsen ? demanda l'avocat à voix basse, comme s'il se parlait à lui-même.

— Hans Kelsen, répondit Firmino en essayant de fouiller dans ses faibles connaissances juridiques, je crois en avoir entendu parler, c'est un philosophe du droit, il me semble, mais vous pourrez certainement mieux m'en parler.

L'avocat respira si profondément que Firmino eut l'impression d'en entendre l'écho.

— Berkeley, Californie, mil neuf cent cinquante-deux, susurra-t-il. Peut-être ne pouvez-vous pas imaginer ce qu'était à cette époque la Californie pour un jeune homme provenant de l'aristocratie d'une ville provinciale comme Porto et d'un pays oppressif comme le Portugal, en un mot je peux vous dire que c'était la liberté. Non cette liberté stéréotypée qu'on voit représentée dans certains films américains de l'époque, car en Amérique aussi il y avait une terrible censure à ce moment-là, mais une liberté authentique, intérieure, absolue. Pensez un peu, j'avais une fiancée et nous jouions même au squash, un jeu alors absolument inconnu en Europe, je vivais dans une maison de bois devant l'océan, au sud de Berkeley, qui appartenait à mes arrière-cousins américains, ma famille du côté maternel comporte une branche américaine. Vous vous demanderez peut-être pourquoi j'étais allé étudier à l'Université de Berkeley. Parce que ma famille était riche, ça, c'est indiscutable, mais surtout parce que je voulais étudier les raisons qui ont conduit les hommes à élaborer des codes. Non pas les codes tels que les étudiaient les gaillards de mon âge devenus par la suite des avocats de renom, mais les raisons qui les sous-tendaient, en un sens presque abstrait, je me fais comprendre ? Si je ne me fais pas comprendre, tant pis.

L'obèse fit une pause et tira une autre bouffée de son cigare. Firmino se rendit compte qu'une atmosphère lourde régnait dans la pièce.

— Bien, continua-t-il, j'avais jeté mon dévolu sur cet homme, en me fiant à des informations reçues comme étudiant de Porto. Hans Kelsen, né à Prague en 1881, juif d'Europe centrale, avait écrit dans les années vingt un essai intitulé *Hauptprobleme der Staatsrechtslehre*, que j'avais lu lors de mes études, car je suis de langue allemande, savez-vous, mes institutrices étaient allemandes, c'est presque ma langue maternelle. Je me suis ainsi inscrit à son cours de l'Université de Berkeley. C'était un grand homme sec, chauve et emprunté, à première vue personne n'aurait imaginé qu'il s'agissait d'un grand philosophe du droit, on l'aurait plutôt pris pour un fonctionnaire d'État. Il avait fui d'abord Vienne puis Cologne, à cause du nazisme. Il avait enseigné en Suisse avant d'arriver aux États-Unis, et moi je l'ai aussitôt suivi aux États-Unis. L'année d'après, il repartit pour l'Université de Genève, et je le suivis à Genève. Ses théories sur la Grundnorm étaient devenues pour moi une obsession.

L'avocat se tut, éteignit son cigare, respira de nouveau profondément, comme s'il manquait d'oxygène.

— Grundnorm, répéta-t-il, vous saisissez le concept ?

— Norme fondamentale, dit Firmino en essayant d'utiliser le peu d'allemand qu'il savait.

— Bien sûr, norme fondamentale, précisa l'obèse, sauf que pour Kelsen elle se situe au sommet de la pyramide, c'est une norme fondamentale renversée, elle est à la cime de sa théorie de la justice, celle qu'il définissait comme *Stufenbau Theorie*, la théorie de la construction pyramidale.

L'avocat fit une pause. Il respira de nouveau mais, cette fois-ci, faiblement.

— C'est une proposition normative, continuat-il, elle se trouve au sommet de la pyramide de ce qu'on appelle le Droit, mais c'est le fruit de l'imagination du chercheur, une pure hypothèse.

Firmino ne réussit pas à comprendre à son expression s'il se voulait pédagogique ou s'il était méditatif, voire simplement mélancolique.

— C'est une hypothèse métaphysique, dit l'avocat, parfaitement métaphysique. Et ça, voyez-vous, c'est vraiment une chose kafkaïenne, c'est la Norme qui englue tout un chacun et dont pourrait descendre l'abus de pouvoir d'un petit seigneur qui se croit autorisé à fouetter une putain. Les voies de la Grundnorm sont infinies.

— Le témoin avec qui j'ai parlé ce matin, dit Firmino en changeant de conversation, est sûr que Damasceno a été assassiné par la Guarda Nacional.

L'avocat eut un sourire fatigué et regarda sa montre.

— Oh, dit-il, la Guarda Nacional est une institution militaire, c'est justement une belle incarnation de la Grundnorm, la chose commence à m'intéresser, d'autant que vous ne savez pas combien de personnes ont été tuées ou torturées dans nos sympathiques commissariats ces derniers temps.

— Je pense le savoir aussi bien que vous, lui fit observer Firmino, les quatre dernières affaires ont été suivies par mon journal.

— En effet, murmura l'avocat, et tous les responsables ont été acquittés, ils ont repris tranquillement leur service, la chose commence vraiment à m'intéresser, mais que diriez-vous d'aller déjeuner ? il est une heure et demie et je me sens en appétit, il y a un restaurant ici à côté qui jouit de ma confiance. À propos, vous aimez les tripes ?

— Modérément, répondit Firmino d'un air préoccupé.

XII

— Malheureusement ce jeune homme n'aime pas les tripes, dit l'avocat en se tournant vers l'aubergiste, énumère-lui les spécialités de la maison, Manuel.

L'aubergiste mit les poings sur ses hanches et jeta un coup d'œil sur Firmino qui baissa la tête, car il éprouvait un sentiment de culpabilité.

— Don Fernando, répondit tranquillement l'aubergiste, si je ne parviens pas à satisfaire votre hôte, je m'engage à offrir le déjeuner. Il est étranger ?

— Presque, répondit l'avocat, mais il s'habitue petit à petit aux coutumes de la ville.

— Je peux vous proposer notre riz aux haricots rouges avec des épinoches frites, dit l'aubergiste, ou alors un roulé de cabillaud au four.

Firmino regarda le bonhomme d'un air perdu, comme pour signifier que l'un ou l'autre des plats lui convenait très bien.

— Allons-y pour les deux plats, décida l'avocat, en dégustation. Et pour moi les tripes, naturellement.

Le restaurant, qui d'ailleurs n'était pas vraiment un restaurant mais plutôt une cave encombrée de tonneaux, se trouvait au fond d'une ruelle, à côté de la Rua das Flores, et ne portait apparemment pas de nom. Firmino avait remarqué au-dessus de la porte une espèce d'enseigne en bois peinte de manière naïve et qui disait : « L'auberge de l'œil se trouve ici ».

— Comment pensez-vous que nous pouvons procéder ? demanda Firmino.

— Comment s'appelle le témoin ? demanda l'avocat.

— Torres, il est électricien sur voitures au garage Faísca.

— Je passe le prendre dans l'après-midi et je l'emmène avec moi chez le juge d'instruction, dit l'avocat.

— Et si Torres ne voulait pas témoigner ? objecta Firmino.

— Je vous ai dit que je l'emmenais avec moi chez le juge d'instruction, répondit placidement l'avocat.

Il versa du *vinho verde* dans les verres et leva le sien pour trinquer.

— C'est un alvarinho non commercialisé, dit-il, on ne le trouve pas sur le marché, mais c'est seulement pour l'apéritif, ensuite nous boirons du vin rouge.

— Je ne suis pas tellement habitué au vin, s'excusa Firmino.

— Il n'est jamais trop tard pour s'y habituer, répondit l'avocat.

À cet instant, l'aubergiste arriva avec les plateaux et s'adressa à l'avocat, comme si Firmino n'existait pas.

— Voilà, Don Fernando, s'exclama-t-il d'un air satisfait, et si cela ne plaît pas à votre hôte, j'offre le déjeuner, comme je l'ai dit, mais il vaudra alors mieux que le petit monsieur quitte la ville.

Le riz aux haricots, noyé dans une sauce brune, avait un aspect répugnant. Firmino prit deux épinoches frites et se coupa une tranche du roulé de cabillaud. L'avocat le regarda de ses petits yeux inquisiteurs.

— Mangez, jeune homme, dit-il, il faut prendre des forces, ça va être une affaire longue et compliquée.

— Et moi, qu'est-ce que je dois faire à présent ? demanda Firmino.

— Demain vous allez trouver Torres, vous faites un bel entretien, dit l'avocat, le plus long et détaillé qui soit possible, et vous le publiez dans votre journal.

— Et si Torres ne veut pas ? demanda Firmino.

— Bien sûr qu'il voudra, répondit tranquillement l'avocat, il n'a pas le choix, pour une raison très simple que Torres comprendra immédiatement, je ne crois pas qu'il soit stupide.

L'avocat s'essuya le menton de sa serviette, et continua d'un ton détaché, comme s'il expliquait une chose élémentaire :

— Parce que Torres est grillé, dit-il, cet après-midi il témoignera auprès du juge, sous ma surveillance, ça je peux vous l'assurer, mais, vous savez, un procès-verbal qui demeure entre les mains des enquêteurs est une mine flottante, il ne faut jamais s'y fier, ce procès-verbal pourrait venir à la connaissance de quelqu'un qui ne l'apprécierait pas, imaginez un peu, avec tous les accidents de la route qui ont lieu au jour d'aujourd'hui, à propos vous saviez que le Portugal occupe la première place en Europe dans les statistiques des accidents de la route ? il semble que les Portugais conduisent comme des irresponsables.

Firmino le regarda avec toute la perplexité que l'avocat continuait de lui inspirer.

— Et l'entretien dans mon journal, à quoi ça lui sert ? demanda-t-il.

L'avocat avala une bouchée de tripes avec volupté. Bien qu'elles fussent coupées en petits morceaux, il cherchait inutilement à les enrouler autour de sa fourchette.

— Mon garçon, soupira-t-il, vous m'étonnez, oui, depuis votre première visite vous n'avez cessé de m'étonner, vous écrivez dans un journal à grande diffusion et vous ne semblez pas savoir ce que signifie l'opinion publique, c'est regrettable, essayez de me suivre un instant dans mon raisonnement : si Torres, après avoir fait sa déposition aux autorités qui mènent l'enquête, répète tout dans votre journal, il peut être tranquille, car il aura toute l'opinion publique avec lui, et un conducteur distrait, par exemple, y réfléchirait à deux fois avant d'écraser sous sa voiture un type qui a les yeux de l'opinion publique braqués sur lui, vous comprenez le concept ?

— Je comprends le concept, répondit Firmino.

— D'ailleurs, continua l'avocat, et cela vous concerne de près en tant que journaliste, vous savez ce que disait Jouhandeau ?

Firmino secoua négativement la tête. L'avocat but un verre de vin et essuya ses lèvres charnues.

— Il disait : puisque l'objet intrinsèque de la littérature est la connaissance de l'être humain, et puisqu'il n'existe pas d'endroit au monde où l'on puisse mieux l'étudier que dans les salles de tribunal, ne serait-il pas souhaitable que, par norme législative, un écrivain figure toujours parmi les jurés ? sa présence serait pour tout le monde une invitation à réfléchir davantage. Fin de la citation.

L'avocat fit une brève pause et but une autre gorgée de vin.

— Eh bien, continua-t-il, il est évident que vous ne serez jamais assis parmi les jurés d'un tribunal comme cela aurait plu à Monsieur Jouhandeau, au contraire vous ne serez même jamais présent aux interrogatoires menés durant l'instruction, parce que la loi ne vous y autorise pas, il est vrai aussi que, pour être rigoureux, vous n'êtes pas vraiment un écrivain, mais nous pouvons faire un effort et vous considérer comme tel, étant donné que vous écrivez dans un journal. Disons que vous serez un juré virtuel, c'est ça votre rôle, juré virtuel, vous saisissez le concept ?

— Je crois que oui, répondit Firmino.

Puis il voulut être honnête et demanda :

— Mais qui est ce Jouhandeau ? je n'en ai jamais entendu parler.

— Marcel Jouhandeau, répondit l'avocat, un irritant théologien français qui aimait faire scandale, il a aussi célébré l'abjection, si je puis m'exprimer ainsi, et une sorte de perversion métaphysique, ou plutôt que lui croyait métaphysique. Vous savez, il a commencé d'écrire à un moment où, en France, les surréalistes exaltaient la révolte et après que Gide eut théorisé l'acte gratuit. Mais il n'avait bien sûr pas la grandeur de Gide, au fond il faisait de la mauvaise cuisine, même s'il a trouvé quelques belles formules à propos de la justice.

— Nous devons encore définir la question fondamentale, dit Firmino, parce que mon journal prend vos honoraires à sa charge, naturellement.

L'avocat le regarda de ses petits yeux inquisiteurs.

— C'est-à-dire ? demanda-t-il.

— Dans le sens que vous serez indemnisé comme dû, dit Firmino.

— C'est-à-dire ? répéta l'avocat, qu'est-ce que ça signifie concrètement en chiffres ?

Firmino éprouva un léger embarras.

— Je ne sais pas, répondit-il, c'est mon directeur qui vous le dira.

— Il y a une maison dans la Rua do Ferraz, enchaîna sans logique apparente l'avocat, où j'ai passé mon enfance, juste en dessus de la Rua das Flores, c'est un petit palais du XVIIIᵉ siècle, la marquise, ma grand-mère, y vivait.

Il soupira avec nostalgie.

— Et vous, où avez-vous passé votre enfance, dans quel type de maison ? demanda-t-il ensuite.

— Sur la côte de Cascais, répondit Firmino, mon père était garde-côte et avait une maison de fonction donnant sur la mer, nous y avons pratiquement passé notre enfance, mes frères et moi.

— Ah oui, dit l'avocat, la côte de Cascais, cette lumière très blanche de midi qui se teinte de rose au crépuscule, le bleu de l'océan, les pinèdes du Guincho, mes souvenirs à moi portent au contraire sur un petit palais obscur, avec une grand-mère impassible qui prenait le thé et utilisait chaque jour un ruban différent autour de son cou rugueux, mais toujours de soie noire, parfois simple, d'autres fois avec une légère bordure de dentelle. Elle ne m'a jamais touché, il lui arrivait de m'effleurer la main avec la sienne qui était froide, et elle me disait que l'unique chose que devait apprendre un enfant d'une famille comme la sienne était de respecter les ancêtres. Et je regardais ceux qu'elle appelait les ancêtres. C'étaient d'antiques portraits à l'huile de messieurs hautains, avec un air méprisant sur le visage et des lèvres charnues comme les miennes, ils me les ont laissées en héritage.

Il goûta une bouchée de cabillaud et dit :

— Je trouve ce plat absolument divin, et vous, qu'en pensez-vous ?

— J'aime beaucoup, répondit Firmino, mais vous me parliez de votre enfance.

— Bien, continua l'avocat, cette maison est déserte, avec tous les souvenirs de cette Madame la marquise qui, à sa façon, fut ma grand-mère : ses portraits, ses meubles, ses couvre-lits de Castelo Branco et ses arbres généalogiques. Disons que c'est mon enfance qui se trouve enfermée là comme dans un écrin. Il y a quelques années j'y allais encore consulter les archives de famille, mais je ne sais pas si vous avez vu comment est la Rua do Ferraz, pour la remonter il faudrait un téléphérique, avec mon poids je n'y arrive plus, et je devrais appeler un taxi pour parcourir cinq cents mètres, voilà pourquoi je n'y ai pas mis les pieds depuis sept ans. Aussi j'ai décidé de la vendre, je l'ai confiée à une agence, il est bon que les agences engloutissent les enfances, c'est la manière la plus hygiénique de s'en libérer, et vous ne pouvez pas imaginer combien de bourgeois enrichis voudraient cette maison, de ceux qui ont gagné de l'argent durant ces dernières années avec les subventions de la Communauté européenne. Vous savez, c'est un lieu qui, d'après leur mentalité, leur fournirait le statut social qu'ils recherchent désespérément, construire une maison moderne avec piscine dans les zones résidentielles est à leur portée, mais un petit palais du XVIIIe siècle se situe quelques étages au-dessus, vous comprenez le concept ?

— Je comprends le concept, acquiesça Firmino.

— J'ai donc décidé de la vendre, dit l'avocat. Le prétendant le plus ardent vient de la province. Un représentant typique de la société dans laquelle nous vivons aujourd'hui. Son père était un petit éleveur. Lui a commencé par une modeste activité dans la chaussure encore à l'époque du salazarisme. En réalité, il fabriquait surtout des souliers revêtus de toile cirée, avec deux ouvriers. Puis la révolution est arrivée, en mil neuf cent soixante-quatorze, et il s'est rangé du côté des idées de coopératives, il a même donné un entretien presque révolutionnaire à un quotidien plein de ferveur. Ensuite, une fois passées les illusions révolutionnaires, le néo-libéralisme sauvage est arrivé, et il a pris le parti qu'il fallait. En bref, c'est quelqu'un qui a su manœuvrer. Il possède quatre Mercedes et un terrain de golf dans l'Algarve, je crois qu'il a des actions immobilières dans l'Alentejo, et peut-être même dans la péninsule de Troia, autant dire qu'il s'entend à merveille avec tous les partis de l'échiquier politique, des communistes à la droite modérée, et bien entendu sa fabrique de chaussures est florissante, il exporte surtout vers les États-Unis. Qu'en dites-vous, je fais bien de la lui vendre ?

— La maison ? demanda Firmino.

— Évidemment, la maison, répondit l'avocat. Peut-être que je la lui vendrai. Il y a quelques jours son épouse est venue me parler, elle doit être la seule personne alphabétisée de la famille. Je vous épargne la description de cette bonne femme toute en poudres et maquillage. Mais j'ai joué à la hausse, j'ai dit que je vendais la maison avec les meubles anciens et les tableaux des ancêtres, et je lui ai demandé : que ferait une famille comme la vôtre, chère Madame, d'une maison de ce genre sans les meubles anciens et les tableaux des ancêtres ? Qu'en dites-vous, jeune homme, j'ai bien fait ?

— D'après moi vous avez très bien fait, répondit Firmino, puisque vous tenez à avoir mon avis, je peux vous dire que vous avez très bien fait.

— Alors, conclut l'avocat, dites simplement à

votre directeur que les frais pour Damasceno Monteiro seront amplement payés par deux tableaux du XVIIIe siècle de ma maison de la Rua do Ferraz, et que, de grâce, il ne me fasse pas de proposition pour mes honoraires.

Firmino ne répliqua rien et continua de manger. Il avait timidement goûté le riz aux haricots rouges et l'avait trouvé exquis, il en avait donc pris une autre portion. Il aurait voulu dire quelque chose, mais ne savait comment l'exprimer. À la fin, il essaya de formuler une phrase.

— Mon journal, balbutia-t-il, eh bien, mon journal est ce qu'il est, je veux dire, vous savez bien quel est son style, le style avec lequel nous devons captiver nos lecteurs, enfin, bon, c'est un journal populaire, peut-être courageux, mais c'est un journal populaire, il fait les concessions qu'il faut pour, disons, vendre plus d'exemplaires, je ne sais pas si je me fais comprendre.

L'avocat était occupé par les plats qu'il savourait et il ne dit rien. Il avait à présent commencé de manger le cabillaud, et il était totalement absorbé par cette activité.

— Je ne sais si vous saisissez le concept, dit Firmino en ayant recours à la formule de l'avocat.

— Je ne saisis pas le concept, répondit l'avocat.

— Enfin, continua Firmino, je veux dire que mon journal est le journal que vous savez, et vous, bon, vous êtes un avocat important, vous avez le nom que vous avez, enfin je veux dire que vous avez une réputation à défendre, je ne sais pas si je me fais comprendre.

— Vous continuez de me décevoir, jeune homme, répondit l'avocat, vous cherchez par tous les moyens à vous rendre inférieur à ce que vous êtes, nous ne devons jamais être inférieurs à nous-mêmes, qu'avez-vous dit à mon propos ?

— Que vous avez une réputation à défendre, dit Firmino.

— Écoutez, murmura l'avocat, je crois que nous ne nous sommes pas compris, je vais vous dire une chose une bonne fois pour toutes, mais ouvrez bien vos oreilles. Je défends les va-nu-pieds parce que je suis comme eux, voilà la pure et simple vérité. De ma noble famille je n'utilise que le patrimoine qui m'est resté, mais, comme les va-nu-pieds que je défends, je crois avoir connu les misères de la vie, les avoir comprises et aussi assumées, car pour comprendre les misères de la vie il faut plonger ses mains dans la merde, excusez le mot, et surtout en être conscient. Et ne me contraignez pas à la rhétorique, parce qu'il s'agit là de rhétorique à bon marché.

— Mais en quoi croyez-vous ? demanda Firmino de façon impulsive.

Il n'aurait pas su dire pourquoi il avait posé à cet instant précis une question aussi ingénue qui, au moment où il la prononçait, lui parut être une de ces questions qu'on pose à l'école à sa voisine de banc et qui font rougir à la fois celui qui la pose et celui à qui elle est adressée. L'avocat leva la tête de son plat et le regarda de ses petits yeux inquisiteurs.

— Vous me posez une question personnelle ? demanda-t-il d'un air visiblement irrité.

— Disons qu'il s'agit d'une question personnelle, répondit courageusement Firmino.

— Pourquoi me posez-vous cette question ? insista l'avocat.

— Parce que vous ne croyez en rien, affirma Firmino, j'ai le sentiment que vous ne croyez en rien.

L'avocat sourit. Il donna l'impression à Firmino d'être mal à l'aise.

— Je pourrais éventuellement croire à une chose qui risquera de vous sembler insignifiante, répondit-il.

— Donnez-moi l'exemple, insista Firmino, d'une chose qui puisse être convaincante.

À présent qu'il s'était mis dans le pétrin, il voulait tenir son rôle.

— Un poème, répondit l'avocat, simplement quelques vers, cela pourrait sembler une bagatelle, mais il pourrait aussi s'agir d'une chose fondamentale, par exemple : *Tout ce que j'ai connu, Tu me l'écriras pour me le rappeler, Avec des lettres, Et alors moi aussi, Je te dirai tout le passé*[1].

L'avocat se tut. Il avait éloigné l'assiette et sa main maltraitait la serviette de table.

— Hölderlin, continua-t-il, un poème intitulé

1. Pierre Jean Jouve, dans son édition des *Poèmes de la folie* de Hölderlin (J.O. Fourcade, Paris, 1929), propose la traduction suivante du cinquième quatrain du poème qu'il intitule *Diotima de l'au-delà* :
> C'est bien vrai ! et toute chose connue de moi
> Comme tu veux la ramener à ma mémoire,
> L'écrire avec des lettres, de même il arrive
> Que je puisse dire aussi tout le passé.

Wenn aus der Ferne, c'est-à-dire « Si du lointain », parmi les derniers qu'il a écrits. Disons qu'il y a des personnes qui peuvent attendre des lettres du passé, cela vous paraît-il être une chose plausible en laquelle croire ?

— Peut-être, répondit Firmino, cela pourrait être plausible, même si j'aimerais comprendre un peu mieux.

— C'est simple, murmura l'avocat, des lettres du passé qui nous expliquent un temps de notre vie que nous n'avons jamais compris, qui nous donnent une quelconque explication à même de nous faire saisir le sens de toutes ces années écoulées, et de ce qui, alors, nous échappa, vous êtes jeune, vous attendez des lettres du futur, mais supposez qu'il existe des personnes attendant des lettres du passé, je suis peut-être une de ces personnes, et je m'efforce d'imaginer qu'un jour elles me parviendront.

Il fit une pause, alluma un de ses cigares et demanda :

— Vous savez comment j'imagine qu'elles me parviendront ? Faites un effort.

— Je n'en ai pas la moindre idée, répondit Firmino.

— Eh bien, dit l'avocat, dans un petit paquet lié par un nœud rose, exactement ainsi et parfumé à la violette, comme dans les pires romans-feuilletons. Ce jour-là, j'approcherai mon horrible nez du petit paquet, je déferai le nœud rose, j'ouvrirai les lettres et je comprendrai avec la clarté du midi une histoire jamais comprise auparavant, une histoire unique et fondamentale, je répète, unique et fondamentale, une chose qui ne peut avoir lieu qu'une seule fois dans la vie, dont les dieux concèdent qu'elle ait lieu une fois seulement dans notre vie, et à laquelle nous n'avons sur le moment pas prêté l'attention voulue, justement parce que nous étions des idiots présomptueux.

Il fit une autre pause, cette fois-ci plus longue. Firmino le regardait en silence, il observait ses joues grasses et pendantes, ses lèvres charnues, presque rebutantes, et son air d'être perdu dans les souvenirs.

— Parce que, continua l'avocat à voix basse, *que faites-vous des anciennes amours* ? Ah, je me le demande moi aussi, *que faites-vous des anciennes amours* ? C'est un vers d'une poésie de Louise Colet qui continue ainsi : *les chassez-vous comme des ombres vaines ? Ils ont été, ces fantômes glacés, cœur contre cœur, une part de vous-même.* Elle est certainement adressée à Flaubert. Il faut préciser que Louise Colet écrivait des poèmes lamentables, pauvre femme, même si elle se prenait pour une grande poétesse et voulait conquérir les salons littéraires parisiens, vraiment des vers médiocres, il n'y a pas à dire. Mais ces quelques vers sont une épine dans le flanc, me semble-t-il, car en effet, que faisons-nous des amours anciennes ? les mettons-nous dans un tiroir avec les chaussettes trouées ?

Il regarda Firmino comme s'il attendait de lui une confirmation, mais Firmino ne se prononça pas.

— Vous savez ce que je dis ? continua l'avocat, je dis que si Flaubert ne l'a pas comprise il était véritablement un idiot et, dans ce cas, il faudrait donner raison à ce présomptueux de Sartre, mais peut-être Flaubert comprit-il, qu'en pensez-vous, Flaubert a-t-il compris ou pas ?

— Peut-être qu'il a compris, répondit Firmino, ainsi à brûle-pourpoint je ne pourrais pas l'affirmer, peut-être qu'il a compris, mais je ne serais pas en mesure de l'affirmer.

— Excusez-moi, jeune homme, dit l'avocat, vous prétendez étudier la littérature et vouloir même écrire un essai dans ce domaine, or vous me confessez que vous ne savez pas vous prononcer sur un fait aussi fondamental de savoir si Flaubert a compris ou non le message chiffré que lui envoyait Louise Colet.

— Mais j'étudie la littérature portugaise des années cinquante, se défendit Firmino, qu'est-ce que Flaubert a à voir avec la littérature portugaise des années cinquante ?

— En apparence rien, répondit l'avocat, mais seulement en apparence, parce que, en littérature, tout a à voir avec tout. Regardez, mon garçon, c'est comme une toile d'araignée, vous avez en tête comment c'est, une toile d'araignée ? pensez à toutes ces trames compliquées qui sont tissées par l'araignée, ce sont toutes des voies qui conduisent au centre, en les regardant à leur périphérie on ne le dirait pas, mais toutes conduisent au centre, je vous donne un exemple, comment pourriez-vous comprendre *L'Éducation sentimentale*, ce roman si épouvantablement pessimiste et en même temps si réactionnaire, car selon les critères de votre Lukács il est épouvantablement réactionnaire, oui, comment pourriez-vous comprendre ce roman si vous ne connaissiez pas les petits romans de mauvais goût de cette période de terrible mauvais goût que fut le Second Empire ? Et en même temps que ces données-là, établissant les liens nécessaires, si vous ignoriez la dépression de Flaubert ? Parce que vous savez, quand Flaubert s'enfermait dans sa maison de Croisset pour épier le monde de derrière sa fenêtre, il était épouvantablement déprimé, et tout cela, même si vous n'en avez pas l'impression, forme une toile d'araignée, un tissu fait de conjonctions souterraines, de liaisons astrales, d'insaisissables correspondances. Si vous voulez étudier la littérature, apprenez au moins à établir les correspondances.

Firmino le regarda et chercha une réplique. Curieusement, il éprouvait de nouveau cet absurde sentiment de culpabilité qu'avait fait naître en lui l'aubergiste lorsqu'il lui avait énuméré le menu.

— J'essaie humblement de m'occuper de la littérature portugaise des années cinquante, répondit-il, sans me prendre la tête.

— D'accord, répliqua l'avocat, vous ne devez pas vous prendre la tête, mais vous devez entrer dans cette période. Et pour le faire, il faudra peut-être même connaître les bulletins météorologiques que les journaux portugais publiaient durant ces années-là, comme vous l'enseignera un magnifique roman d'un de nos écrivains contemporains qui a réussi à décrire la censure exercée par la police politique en utilisant les bulletins météorologiques des journaux, vous voyez de qui je veux parler ?

Firmino ne répondit pas et fit un vague signe de la tête.

— Bien, dit l'avocat, je vous laisse ça comme sujet d'une possible recherche et, rappelez-vous, même les bulletins météorologiques peuvent servir, pourvu qu'ils soient pris à titre de métaphore, d'indice, sans tomber dans la sociologie de la littérature, je me fais comprendre ?

— Je crois que oui, dit Firmino.

— Sociologie de la littérature, répéta l'avocat d'un air dégoûté, nous vivons décidément une époque barbare.

Il fit le geste de se lever et Firmino le devança précipitamment.

— Le tout sur mon compte, Manuel, cria l'avocat à l'aubergiste, notre hôte a apprécié le repas.

Ils se dirigèrent vers la sortie. L'avocat s'arrêta sur le seuil.

— Ce soir, je vous ferai savoir ce qu'il en est de Torres, dit-il, je vous laisserai un message à la pension de Dona Rosa. Mais il est important que vous alliez l'interviewer dès demain et que votre journal sorte une autre édition spéciale, étant donné que vous faites beaucoup d'éditions spéciales avec cette tête coupée, entendu ?

— Entendu, répondit Firmino, vous pouvez compter sur moi.

Ils sortirent dans cette lumière de l'après-midi si caractéristique de Porto. Les rues étaient animées et la chaleur humide, avec une petite brume qui voilait la ville. L'avocat passa un mouchoir sur son front et fit un rapide geste de salut.

— J'ai trop mangé, marmonna-t-il, comme toujours j'ai trop mangé, à propos, vous savez comment est mort Hölderlin ?

Firmino le regarda sans réussir à répondre. Sur le moment, il fut vraiment incapable de se souvenir comment était mort Hölderlin.

— Il est mort fou, dit l'avocat, c'est une chose à prendre en considération.

Il s'éloigna en chancelant d'un pas incertain sous son énorme masse.

XIII

« Leonel Torres, vingt-six ans, casier judiciaire vierge, marié, un enfant de neuf mois, né à Braga, résidant à Porto, ami de Damasceno Monteiro. Ils étaient ensemble la nuit du meurtre, il a déjà livré sa déposition aux magistrats enquêteurs. Il a accepté de donner un entretien en exclusivité à notre journal. Ses affirmations ouvrent un nouveau chapitre dans l'histoire de cette affaire trouble et jettent une ombre inquiétante sur les agissements de notre police. De votre envoyé spécial à Porto.

— Comment avez-vous connu Damasceno Monteiro ?

— Je l'ai connu quand ma famille a déménagé à Porto. J'avais dix ans, ses parents habitaient alors dans la Ribeira. Mais pas dans la maison où ils habitent maintenant. Son père était vannier, il gagnait bien sa vie.

— On sait que ces derniers mois vous avez été très proches l'un de l'autre.

— Il avait des difficultés et venait souvent déjeuner ou dîner à la maison, il avait peu d'argent.

— Il avait pourtant trouvé un emploi peu auparavant.

— Il avait été engagé comme garçon de course à la *Stones of Portugal*, une entreprise d'import-export de Gaia, où il s'occupait surtout des containers.

— Et qu'est-ce que Monsieur Monteiro avait découvert d'anormal, appelons cela ainsi, dans son travail ?

— Eh bien, que les containers dans lesquels se trouvait le matériel électronique transportaient aussi des paquets de drogue, emballés dans du plastique et protégés par de la stéarine.

— Vous pensez donc que Damasceno Monteiro en savait trop ?

— Je ne le pense pas, j'en suis sûr.

— Pouvez-vous mieux vous expliquer ?

— Damasceno s'était rendu compte que c'était le gardien de nuit, le petit vieux décédé il y a quelques jours, qui servait de base. Naturellement l'entreprise ne savait rien de ce trafic, le gardien de nuit était de mèche avec des trafiquants de Hong Kong, d'où provenaient les containers. Il recevait les paquets et les écoulait à Porto.

— De quelle drogue s'agissait-il ?

— Héroïne à l'état pur.

— Et où finissait-elle ?

— C'est le Grillon Vert qui passait retirer les paquets.

— Pardon, qui est le Grillon Vert ?

— Un sergent du commissariat local de la Guarda Nacional.

— Et son nom ?

— Titânio Silva, surnommé le Grillon Vert.

— Pourquoi Grillon Vert ?

— Parce qu'il bégaye et saute en l'air comme un grillonn quand il s'énerve, et qu'il a un teint ver-dâtre.

— Que s'est-il passé ensuite ?

— Il y a quelques mois de cela, Damasceno avait travaillé comme électricien à la « Borboleta Nocturna », une boîte qui appartient au Grillon Vert, même si celui-ci la fait passer pour propriété de sa belle-sœur. C'est là qu'est triée toute la drogue de Porto. Les dealers viennent l'acheter là et la distri-buent ensuite aux fourmis.

— Les fourmis ?

— Les revendeurs au détail, ceux qui se coltinent les toxicos.

— Et qu'est-ce que Monsieur Monteiro a appris ?

— Rien, il avait compris que le Grillon Vert rece-vait l'héroïne de Hong Kong à travers une entreprise d'import-export. Peut-être suivait-il une piste, qui sait, en tout cas il s'est fait engager peu après comme garçon de course à la *Stones of Portugal,* dont les containers transportaient la drogue en provenance d'Asie, et il a compris que la base était le gardien de nuit.

— Lequel, semble-t-il, est mort d'un infarctus.

— Oui, le petit vieux a eu brusquement un coup de sang et y a laissé sa peau. L'occasion était vraiment favorable : le propriétaire de l'entreprise se trouvait à l'étranger, la secrétaire en vacances, et le comptable est un crétin.

— Alors ?

— Alors, ce soir-là, c'est-à-dire le soir où le gardien de nuit a eu son coup de sang, Damasceno est venu chez moi et m'a dit que le moment de la conjonction astrale était arrivé, que ça allait être le coup de notre vie, après cela nous pourrions partir pour Rio de Janeiro.

— C'est-à-dire ?

— C'est-à-dire que les containers pleins de marchandise venaient d'arriver de Hong Kong, Damasceno Monteiro était bien placé pour le savoir, et comme le Grillon Vert et sa bande ne devaient passer que le lendemain, jour convenu avec le gardien de nuit, on allait leur brûler la politesse et emporter toute la came.

— Comment avez-vous réagi ?

— Je lui ai dit qu'il était fou, que, si on essayait de doubler le Grillon Vert, il allait nous éliminer. Et puis, où diable aurait-il revendu toute cette marchandise ?

— Que vous a objecté Monteiro ?

— Il a dit qu'il s'occuperait de la vente, il connaissait une bonne base dans l'Algarve d'où on pouvait ensuite amener la marchandise en Espagne et en France, ça ferait des millions d'escudos à la pelle.

— Ensuite ?

— Je lui ai dit que je n'irais pas avec lui ce soir-là, que j'avais une femme et un bébé et que mon salaire de l'atelier me suffisait, lui m'a répondu qu'il était dans la merde, son père prenait de l'Antabuse et vomissait toutes les nuits, cette vie-là il ne la supportait plus, il voulait aller vivre à Copacabana, et comme j'avais une voiture alors qu'il était à pied, je devais l'accompagner.

— C'est ainsi que vous l'avez accompagné.

— Oui, je l'ai accompagné, et pour dire la vérité je suis entré dans la cour avec lui, je l'ai fait spontanément, sans qu'il me contraigne en aucune façon, parce que je n'avais pas envie de rester devant la grille pendant qu'il allait faire ce dangereux travail tout seul.

— Excusez-moi, présenté ainsi, cela ressemble à un geste d'une grande générosité de votre part. Mais sur le moment, vous n'avez pas pensé aux millions d'escudos que ce vol pouvait rapporter ?

— Oui, peut-être, si je suis sincère. Vous savez, je travaille toute la journée comme électricien sur voitures et je gagne une misère, nous habitons dans un sous-sol que ma femme a essayé de rendre un peu plus gracieux avec des rideaux à fleurs, mais en hiver c'est très humide, les parois suintent, c'est une pièce malsaine. Et j'ai un enfant de quelques mois.

— Comment les choses se sont passées avec votre ami Monteiro ?

— Il a allumé la lumière du bureau, comme s'il était le patron, et m'a dit de ne pas bouger, qu'il s'occupait du reste. Aussi je n'ai pas bougé et je n'ai pas participé au vol. Il a cherché dans les tiroirs le code d'ouverture des containers et il est sorti dans la cour intérieure. Je me suis assis sur une chaise de bureau, je l'attendais et je ne savais pas quoi faire, j'ai alors eu l'idée d'appeler gratuitement à Glasgow.

— Pardon, vous avez téléphoné à Glasgow des bureaux de la *Stones of Portugal* ?

— Oui, parce que j'ai une sœur qui a émigré à Glasgow et je ne lui avais plus parlé depuis cinq mois. Vous savez, ça coûte très cher de téléphoner à Glasgow, et ma sœur a une petite fille mongolienne qui lui cause beaucoup de problèmes.

— Continuez, s'il vous plaît.

— Tandis que je téléphonais j'ai entendu le bruit d'une voiture, j'ai aussitôt raccroché et je me suis vite planqué dans le petit cagibi où ils rangent les aspirateurs. À cet instant, Damasceno est entré par la porte de la cour intérieure, et le Grillon Vert et sa bande sont entrés par la porte principale.

— Qu'entendez-vous par « sa bande » ?

— Les deux agents de la Guarda Nacional qui l'accompagnent toujours.

— Vous les avez reconnus ?

— L'un d'eux, oui, il s'appelle Costa, il a un ventre énorme à cause de la cirrhose. L'autre je ne le connais pas, c'était un gars assez jeune, peut-être une recrue.

— Et que s'est-il passé ?

— Damasceno tenait dans sa main les quatre paquets de drogue emballés dans du plastique. Il s'est rendu compte que j'avais disparu et il a affronté le Grillon Vert.

— Qu'a fait le sergent ?

— Le sergent a commencé de sautiller d'une jambe sur l'autre, comme quand il est énervé, puis il s'est mis à bégayer, je vous l'ai dit, quand il est nerveux il bégaye, on n'arrive plus à comprendre un traître mot de ce qu'il raconte.

— Et alors ?

— Il a commencé de bégayer et il a dit : fils de pute, tout ça c'est à moi. Je les épiais par la fente de la porte accordéon entrouverte. Le Grillon Vert a pris les paquets de came et a fait quelque chose d'incroyable.

— Qu'est-ce qu'il a fait ?

— Il en a ouvert un d'un coup de couteau à cran d'arrêt et il en a versé le contenu sur la tête de Damasceno. Il a dit : fils de pute, à présent je te baptise. Vous vous rendez compte ? Il y en avait pour des millions d'escudos, vraiment pour des millions.

— Ensuite ?

— Damasceno était couvert de poudre, comme s'il avait neigé sur lui, et le Grillon était vraiment énervé, il sautillait comme un diable, selon moi il était complètement jeté.

— Que voulez-vous dire ?

— Qu'il était jeté. Le Grillon Vert vend la came, mais de temps en temps il en prend aussi pour lui, et ça le rend méchant, exactement comme il y a des gens qui ont le vin méchant, il voulait éliminer Damasceno directement là, sur place.

— Expliquez-vous mieux : en quel sens voulait-il éliminer Damasceno Monteiro ?

— Le Grillon avait sorti son pistolet. Il était hystérique, il le pointait sur la tempe de Damasceno puis il le lui pointait contre le ventre et criait : je te tue, fils de pute.

— Et il a tiré ?

— Il a tiré, mais le coup est parti en l'air, la balle a fini dans le plafond, si vous allez voir dans les bureaux de la *Stones of Portugal* vous trouverez à coup sûr un trou dans le plafond, il ne l'a pas tué parce que ses deux compagnons sont intervenus et ont dévié le coup, et il a rengainé son pistolet.

— Ensuite, qu'est-ce qui s'est passé ?

— Le Grillon a compris qu'il ne pouvait pas le tuer sur place, mais il n'était pas calmé pour autant. Il a flanqué à Damasceno un coup de pied dans les couilles qui l'a fait se plier en deux, puis il lui a filé son genou en pleine figure, exactement comme dans un film, ensuite il l'a roué de coups. Finalement il a dit à sa bande de le mener à la voiture, qu'ils lui régleraient son compte au commissariat.

— Et les paquets de drogue ?

— Ils les ont glissés dans leurs blousons, ils ont embarqué Damasceno dans la voiture et sont partis en direction de Porto. Ils étaient excités comme des bêtes qui sentent l'odeur du sang.

— Vous n'avez rien d'autre à dire ?

— Le reste c'est votre affaire. Le lendemain matin le cadavre de Damasceno Monteiro a été retrouvé par un gitan dans un champ plein de vieux papiers, il était décapité, comme on le sait. À présent, c'est à moi de vous poser une question : quelle conclusion en tireriez-vous ?

Cette question, votre envoyé spécial la pose à son tour à tous ses lecteurs. »

XIV

La pension de Dona Rosa était calme, à cette heure-là. Les rares pensionnaires n'étaient pas encore rentrés. Dans le petit salon, le poste de télévision, à très bas volume, transmettait un programme de variétés avant le journal télévisé.

— Voyons si le journal télévisé en parle, marmonna l'avocat.

Sa grosse masse débordait d'un des fauteuils matelassés de la pension de Dona Rosa, il buvait de l'eau et s'essuyait le front avec un mouchoir. Il était à peine arrivé et s'était assis en silence dans le petit salon. Dona Rosa, sans rien demander, lui avait apporté avec empressement une bouteille d'eau minérale gazeuse.

— Je viens de chez le procureur, ajouta-t-il, les premiers interrogatoires ont eu lieu.

Firmino ne dit rien. Dona Rosa arrangeait çà et là les broderies des fauteuils, comme si elle était ailleurs.

— Vous croyez que le journal télévisé en parlera ? insista l'avocat.

— D'après moi, oui, répondit Firmino, mais on verra comment.

Le journal télévisé y consacra son ouverture. C'était une page d'information qui, au fond, reprenait tout des journaux, en particulier de l'entretien donné par Torres à l'*Acontecimento*, précisant qu'il était impossible d'en dire davantage, à cause du secret de l'instruction. Sur le plateau, un sociologue de service se livrait à une analyse de la violence en Europe, il parla d'un film américain où l'on voyait un homme décapité et en arriva à des conclusions quasi psychanalytiques.

— Mais quel rapport avec tout ça ? demanda Firmino.

— Bavardages, commenta laconiquement l'avocat, c'était prévisible, ils invoquent le secret de l'instruction, que diriez-vous de m'inviter à dîner ? j'ai grand besoin de me détendre.

Il se tourna vers Dona Rosa.

— Dona Rosa, qu'est-ce que la maison propose pour ce soir ?

Dona Rosa énuméra le menu. L'avocat ne fit aucun commentaire mais parut satisfait car il se leva et invita Firmino à le suivre. La salle à manger était encore dans l'obscurité, l'avocat alluma les lumières comme s'il était chez lui et choisit une table à sa convenance.

— Si vous avez une bouteille entamée qui vous est restée du déjeuner, dit-il à Firmino, prévenez Dona Rosa de la jeter, je ne supporte pas les bouteilles de vin entamées comme on le pratique dans certaines pensions, ça me rend mélancolique.

Ce soir-là, la cuisinière de Dona Rosa avait préparé des croquettes baignant dans la sauce tomate, et comme entrée de la soupe au chou vert. La jeune serveuse moustachue arriva avec une soupière fumante que l'avocat lui demanda de laisser sur la table, par précaution.

— Vous parliez du secret de l'instruction, dit Firmino pour dire quelque chose.

— En effet, reprit l'avocat, le secret de l'instruction, je serais très heureux de parler avec vous du fameux secret de l'instruction, mais cela nous amènerait inévitablement à des sujets beaucoup plus exigeants et peut-être ennuyeux pour vous, or je ne veux pas vous ennuyer.

— Vous ne m'ennuyez pas du tout, répondit Firmino.

— Ne trouvez-vous pas que la soupe est trop liquide ? demanda l'avocat, moi je l'aime plus épaisse, des pommes de terre et des oignons, voilà le secret pour une bonne soupe au chou vert.

— Quoi qu'il en soit, vous ne m'ennuyez vraiment pas, répondit Firmino, si vous voulez en parler, allez-y, je suis tout ouïe.

— J'ai perdu le fil, dit l'avocat.

— Vous étiez en train de me dire qu'une conversation sur le secret de l'instruction vous aurait inévitablement conduit à un sujet plus ennuyeux, résuma Firmino.

— Ah oui, c'est ça, marmonna l'avocat.

La jeune serveuse arriva avec le plat de croquettes et commença de servir. L'avocat les fit abondamment arroser de sauce tomate.

— L'éthique, dit l'avocat en trempant une croquette dans la sauce.

— L'éthique, c'est-à-dire ? demanda Firmino.

— Secret de l'instruction – éthique professionnelle, répondit l'avocat, c'est un binôme inséparable, du moins en apparence.

La croquette qu'il tentait de couper avec son couteau s'échappa du plat et finit sur sa chemise. La serveuse observait la scène de loin et se précipita, mais l'avocat l'arrêta d'un geste péremptoire.

— Croquette – chemise, dit-il, ça aussi c'est un binôme, du moins pour ce qui me concerne. Je ne sais si vous vous êtes rendu compte que le monde est binaire, la nature fonctionne de façon binaire, ou en tout cas notre civilisation occidentale, et comme c'est elle qui a dressé tous les catalogues, pensez au XVIIIe siècle, aux naturalistes, que sais-je, à Linné, mais comment leur donner tort, en réalité cette petite balle qui tourne dans l'espace et sur laquelle nous naviguons obéit à un schéma tout à fait élémentaire qui est le binarisme, qu'en dites-vous ?

— En effet, répondit Firmino, ou masculin ou féminin, histoire de simplifier, c'est bien cela le système que vous appelez binaire.

— Le sens y est, dont découle par exemple l'opposition entre vérité et mensonge, et à ce point il faudrait entamer une discussion vraiment ennuyeuse or, je vous l'ai dit, je ne voudrais pas vous lasser, vérité ou mensonge, excusez ces envolées à la Pindare, c'est du domaine de l'éthique, et évidemment c'est le problème du Droit, mais je ne vais pas me mettre à vous parler de traités sophistiqués, cela n'en vaut pas la peine.

Il haleta comme s'il était fâché, encore qu'il parût surtout fâché contre lui-même.

— Croyez-vous que l'univers est lui aussi binaire ? lança-t-il à l'improviste.

Firmino le regarda, interdit.

— En quel sens ? demanda-t-il.

— S'il est binaire comme la Terre, répéta l'avocat, est-il selon vous binaire comme la Terre ?

Firmino ne sut quoi répondre, il eut alors l'idée de lui renvoyer la question.

— Et vous, que croyez-vous ?

— Je ne crois pas, répondit l'avocat, j'espère que non, disons que j'espère que non.

Il fit un signe à la jeune serveuse en indiquant son verre vide.

— C'est juste un espoir, dit-il, un espoir pour le genre humain auquel nous appartenons, mais qui, au fond, ne nous regarde pas directement parce que ni moi ni vous ne vivrons assez longtemps pour savoir de quoi est faite Andromède, par exemple, et ce qui se passe par là-bas. Mais, pensez à tous ces scientifiques de la NASA ou autres choses du genre qui se donnent tant de peine pour que dans un siècle ou deux nos descendants puissent arriver dans ces lieux situés aux confins de notre système solaire, et imaginez la tête de nos pauvres descendants qui, après un voyage aussi long, débarquent un jour là-haut de leur vaisseau spatial et y trouvent une belle structure binaire : masculin ou féminin, vérité ou mensonge et peut-être péché ou vertu, eh oui, parce que le système binaire, même si eux ne s'y attendaient pas, prévoit aussi un prêtre, catholique ou d'une quelconque autre religion, qui leur dit : ceci est coupable, cela est vertueux. Eh bien, vous imaginez la tête qu'ils feraient ?

Firmino eut envie de rire, mais il se limita à sourire.

— Avocat, dit-il, je crois que la science-fiction n'a encore jamais pensé à ce problème, je lis beaucoup de livres de science-fiction, mais je crois n'avoir jamais trouvé un problème de ce genre.

— Ah, dit l'avocat, je n'aurais pas pensé que vous aimiez la science-fiction.

— J'aime beaucoup ça, répondit Firmino, c'est ma lecture préférée.

L'avocat toussota avec ce petit gargouillis qui ressemblait à un ricanement.

— Fort bien, marmonna-t-il, mais quel rapport entre ces lectures et votre Lukács ?

Firmino se sentit rougir. Il eut l'impression d'être tombé dans un piège et réagit avec un certain orgueil.

— Lukács me sert pour la littérature portugaise de l'après-guerre, répondit-il, la science-fiction appartient au fantastique.

— C'est là que je vous attendais, répliqua l'avocat, le fantastique. C'est un beau mot, ainsi qu'un concept sur lequel méditer, vous devriez le faire, si vous en avez le temps. Pour ce qui me concerne, j'en étais à fantasmer sur le dessert que Dona Rosa a préparé pour ce soir, un flan caramel, mais peut-être vaut-il mieux que j'y renonce, encore une goutte et je vais me coucher, car ma journée est finie, tandis que la vôtre pourrait se prolonger de manière très utile.

— Je suis disposé à tout, dit Firmino, par exemple ?

— Par exemple une petite visite au « Puccini's Butterfly », c'est un lieu qui pourrait vous fournir beaucoup d'informations intéressantes. Comme ça, un coup d'œil.

Il but son verre de vin et alluma un de ses énormes cigares.

— À vous de voir ce qu'il faudra repérer, continua-t-il tandis que l'allumette brûlait entre ses doigts, par exemple, les gens qu'il y a, les employés, si le Grillon Vert est quelque part, car on m'a dit qu'il avait son bureau dans cette boîte, une petite conversation avec lui pourrait être intéressante, ça devrait être du ressort de la police, mais vous imaginez un peu la police au « Puccini's Butterfly » ?

— Je ne l'imagine pas vraiment, confirma Firmino.

— Précisément, expliqua l'avocat, je ne voudrais pas que vous vous preniez pour Philip Marlowe, mais on pourrait essayer d'apprendre des choses plus secondaires sur le Grillon Vert, peut-être des délits mineurs, vous savez ce que disait De Quincey ?

— Que disait-il ?

— Il disait : si un homme se laisse aller une fois à tuer, il en viendra très vite à considérer le vol comme peu de chose, et de là il en viendra à boire et à ne pas observer les jours fériés, à se comporter donc sans éducation, à ne pas respecter ses engagements, et une fois sur cette pente on ne sait pas où il finira, car beaucoup doivent leur propre ruine à tel ou tel assassinat auquel ils n'avaient guère prêté attention sur le moment. Fin de la citation.

L'avocat jubila en lui-même et ajouta :

— Cher jeune homme, comme je vous l'ai dit je ne veux pas vous fatiguer, mais supposons que, moi, qui, tout à l'heure vous parliez d'éthique professionnelle, j'aie besoin d'une aide pour déchirer ce qu'on appelle le voile d'ignorance. Je ne vais pas m'étendre là-dessus, c'est la définition d'un juriste américain, il s'agit d'un discours purement théorique, situé dans une sorte de caverne de Platon. Supposons toutefois qu'avec mes envolées à la Pindare je fasse descendre ce concept à un niveau purement pratique, disons factuel, chose qu'aucun théoricien de la justice ne me pardonnerait, mais admettons que je m'en moque éperdument, qu'en penseriez-vous ?

— Que la fin justifie les moyens, répondit prestement Firmino.

— Ce n'est pas exactement ma conclusion, répondit l'avocat, et ne répétez plus cette phrase, je la déteste, c'est avec elle que l'humanité a commis les pires atrocités, disons simplement que je me sers de vous, c'està-dire de votre journal, sans aucune pudeur, c'est clair ?

— Très clair, répondit Firmino.

— Je pourrais toujours me justifier par certaines définitions de la théorie du droit, et affirmer, non sans un certain cynisme, que j'appartiens à l'école de ceux qui suivent la prétendue conception intuition-niste, mais non, appelons ça simplement un acte de fantaisie arbitraire, la définition vous plaît-elle ?

— Elle me plaît, confirma Firmino.

— Ainsi, par l'acte de fantaisie arbitraire, nous pourrions remonter à reculons le paradoxe de De Quincey, c'est-à-dire : comme j'ai l'absolue sensation qu'il ne sera pas facile de démontrer que le Grillon Vert coupe les têtes d'autrui avec des couteaux électriques, nous chercherons à démontrer qu'il se comporte mal en société, que sais-je, qu'il casse des assiettes sur la tête de sa femme, je me fais com-prendre ?

— Parfaitement, répondit Firmino.

L'avocat parut satisfait. Il s'appuya sur le dossier de sa chaise. Il y avait une expression rêveuse dans ses petits yeux mobiles.

— Peut-être que, à ce point, on arrive même à récupérer votre Lukács, ajouta-t-il.

— Lukács ? demanda Firmino.

— Le principe de réalité, répondit l'avocat, le principe de réalité, je ne serais pas surpris que cela puisse malgré tout vous venir en aide ce soir. Et à pré-sent il est peut-être préférable que je m'en aille, jeune homme, cela me semble vraiment l'heure adaptée pour aller dans un endroit comme le « Puccini's Butterfly », ensuite vous me raconterez bien sûr tout dans les moindres détails, mais n'oubliez pas, soyez attentif au principe de réalité, je crois que cela pourra vous servir.

XV

L'Avenida de Montevideu, qui rejoignait l'Avenida do Brasil, formait un bord de mer très long, beaucoup plus que Firmino ne se l'était imaginé, et il allait devoir le parcourir jusqu'à ce qu'il atteigne la boîte de nuit, dont il ne savait à quelle hauteur elle se trouvait. Une belle brise atlantique faisait flotter les drapeaux d'un grand hôtel. Le bord de mer, du moins à son début, était peuplé de monde, surtout des familles nombreuses qui occupaient les terrasses des glaciers où des enfants tombant de sommeil suçaient péniblement leur glace. Firmino pensa que ses compatriotes envoyaient leurs enfants trop tard au lit et qu'ils faisaient peut-être trop d'enfants. Puis il murmura pour lui-même : considérations crétines. Il remarqua que cette partie, très animée et populaire, se transformait petit à petit en une zone plus solitaire et aristocratique, faite de villas austères et de bâtiments du début du siècle, avec des balcons en fer forgé et des décorations en stuc. L'océan était assez agité et les vagues violentes venaient s'écraser contre les rochers.

Le « Puccini's Butterfly » occupait un bâtiment entier que Firmino, à première vue, estima être des années vingt, une belle construction Liberty, avec des corniches aux carreaux verts et des vérandas à petits tympans qui imitaient le style manuélin. Sur la petite terrasse du premier étage, une enseigne de néon violet, avec des boucles rococo, indiquait : « Puccini's Butterfly. » Et sur chacune des trois portes du local, d'autres enseignes plus discrètes indiquaient successivement le Restaurant Butterfly, le Night-Club Butterfly et la Discothèque Butterfly. L'entrée de la discothèque était la seule qui n'avait pas de tapis rouge. Les deux autres en avaient un et elles étaient surveillées par un portier vêtu avec une certaine élégance. Firmino songea que la discothèque n'était peut-être pas l'endroit adapté. C'était certainement un lieu où l'on ne pouvait pas parler, avec lumières psychédéliques et musique assourdissante. Du restaurant il n'avait que faire, les croquettes lui suffisaient pour ce soir. Il ne lui restait que le night-club. Le portier lui ouvrit le chemin et fit une imperceptible révérence. La lumière était bleu clair. Le vestibule était prolongé par un petit bar à l'anglaise, comptoir en bois massif et fauteuils de cuir rouge. Il était désert. Firmino le traversa, écarta les tentures de velours et entra dans la salle. Là aussi, la lumière était bleu clair. Comme un habilleur qui attend l'acteur derrière le rideau, une figure empressée, mais dont la voix avait quelque chose de distant, lui susurra :

— Soyez le bienvenu, Monsieur, vous avez réservé ?

C'était le maître d'hôtel. La cinquantaine, smoking impeccable, cheveux gris qui prenaient un peu du bleu de la lumière, un majestueux sourire stéréotypé.

— Non, répondit Firmino, j'ai complètement oublié.

— Cela n'a pas d'importance, murmura le maître d'hôtel, j'ai une bonne table pour vous, veuillez me suivre.

Firmino le suivit. Il dénombra une trentaine de tables, presque toutes occupées. Essentiellement des clients d'âge moyen, lui sembla-t-il, les dames assez élégantes, leur cavalier en tenue plus sportive, avec veste en lin et banal polo. Dans le fond se trouvait une petite estrade imitant le style baroque. Elle était vide. De toute évidence, c'était la pause, et, dans la salle bleutée, planait une musique que Firmino crut reconnaître. Il porta un doigt à son oreille d'un air interrogatif et le maître d'hôtel lui murmura :

— Puccini, Monsieur. Cette table vous conviendra-t-elle ?

La table n'était pas très proche de la scène, mais assez latérale pour lui donner la possibilité d'observer toute la salle.

— Monsieur a déjà mangé ou dois-je apporter la carte ? demanda le maître d'hôtel.

— On peut aussi dîner ? demanda Firmino, je croyais que le restaurant était à côté.

— Seulement des amuse-gueule, répondit le maître, des petits plats.

— Par exemple ?

— Espadon fumé, petit consommé de langouste froid, des choses du genre, mais peut-être préférez-vous que je vous apporte la carte ? Ou désirez-vous seulement boire quelque chose ?

— Eh bien, répondit distraitement Firmino, que me proposez-vous ?

— Pour jouer la sécurité, je dirais une bonne coupe de champagne, histoire de se mettre en train, répondit le maître d'hôtel.

Firmino songea qu'il lui faudrait téléphoner d'urgence au directeur pour qu'on lui envoie un mandat télégraphique, il était arrivé au bout de l'avance pour les frais, et vivait grâce à un prêt de Dona Rosa.

— D'accord, répondit-il nonchalamment, allons-y pour le champagne, mais du meilleur.

Le maître d'hôtel s'éloigna sur la pointe des pieds. La musique de Puccini cessa, les lumières baissèrent d'intensité et un projecteur illumina la scène. D'un cône bleu, évidemment. Une jeune et belle femme aux cheveux ramassés en chignon fit irruption dans le cône de lumière et commença de chanter. Elle chantait sans accompagnement musical, les paroles étaient portugaises, mais la mélodie était une sorte de blues dont Firmino se rendit compte un peu plus tard seulement qu'il s'agissait d'un vieux fado de Coimbra chanté par la jeune femme comme si cela avait été un morceau de jazz. Il y eut un applaudissement très discret et les lumières se rallumèrent. Le garçon arriva avec la coupe de champagne et la posa sur la table. Firmino en but une gorgée. Non qu'il

s'y connût beaucoup en champagne, mais celui-là
était dégueulasse, avec un goût douceâtre. Il regarda
autour de lui. Tout était moelleux et tranquille, dans
une atmosphère ouatée. Les garçons circulaient entre
les tables d'un pas feutré, les haut-parleurs transmet-
taient en sourdine une *morna* de Cesária Évora, les
clients bavardaient à voix basse. À la table à côté de la
sienne se trouvait un monsieur seul qui fumait cigarette sur cigarette en fixant obstinément le seau
contenant une bouteille de champagne qui se trouvait devant lui. Ça c'est du vrai champagne, remarqua Firmino en lisant sur l'étiquette une célèbre
marque française. Le monsieur s'aperçut que Firmino
le regardait et il le regarda à son tour. Il avait une cinquantaine d'années, des lunettes en écaille de tortue,
de petites moustaches hirsutes, les cheveux roussâtres.
Il était habillé de façon faussement sportive, avec un
tee-shirt mauve sous une veste froissée. L'homme
souleva son verre d'une main tremblante en direction
de Firmino et porta un toast. Firmino leva aussi son
verre, mais il ne but pas. L'homme le regarda d'un air
interrogatif et approcha sa chaise.

— Vous ne buvez pas ? demanda-t-il.

— Il n'est pas bon, répondit Firmino, mais je me
joins en pensée à votre toast.

— Savez-vous quel est le secret ? demanda
l'homme en faisant un clin d'œil, commander une
bouteille entière, là on peut être sûr, alors que si
vous demandez une coupe de champagne, ils vous
servent un vin pétillant portugais et vous le font
payer les yeux de la tête.

Il se versa un autre verre et le but d'un trait.

— Je suis très abattu, murmura-t-il sur un ton de confidence, cher ami, je suis très abattu.

Il eut un profond soupir et appuya la tête sur sa main droite. D'un air inconsolable, il murmura :

— Tout à coup elle me sort : freine ! Comme ça, à l'improviste : freine ! Et cela, qui plus est, sur la route de Guimarães, pleine de virages. Je ralentis, je la regarde, et elle me sort : je t'ai dit de freiner. Elle ouvre la portière, arrache de son cou le collier de perles que je lui avais offert le matin même, me le jette en pleine figure, descend sans dire un mot, rien de rien, et claque la portière. Ai-je raison d'être abattu ?

Firmino ne se prononça pas, mais fit un petit signe comme pour approuver.

— Vingt-cinq ans de différence, confia l'homme, je ne sais si je me fais comprendre. J'ai raison de me sentir abattu ?

Firmino allait dire quelque chose, mais l'homme n'y prêta pas attention et continua :

— C'est pour cela que je suis venu au « Puccini's », c'est le bon endroit quand on se sent abattu, non ? c'est le bon endroit pour se remonter, vous le savez mieux que moi.

— Bien sûr, répondit Firmino, je comprends parfaitement, c'est vraiment le bon endroit.

L'homme donna un petit coup sur la bouteille de champagne et se toucha en même temps le nez.

— Celle-ci, dit-il, celle-ci j'en avais bien besoin, c'est clair, mais le meilleur truc c'est là, dans le petit salon.

Il fit un vague signe en direction du fond de la salle.

— Ah, murmura Firmino, le petit salon, bien sûr, c'est ce qu'il y a de mieux.

L'homme se toucha de nouveau le nez avec l'index.

— La chose la meilleure, prix abordable et discrétion assurée, mais vous passerez après moi.

— Vous savez, dit Firmino, ce soir je me sens moi aussi un peu abattu, alors j'accepte volontiers d'y aller, une fois mon tour venu.

Le quinquagénaire déprimé indiqua un rideau de velours juste à côté de la scène.

— « La Bohème » est exactement ce qu'il faut, ricana-t-il, c'est la musique qui convient pour se remonter. Et de l'index il se donna de nouveau un petit coup sur le nez.

Firmino se leva nonchalamment et fit le tour de la salle en longeant les murs. À côté du rideau indiqué par le quinquagénaire déprimé, il s'en trouvait un autre avec l'inscription « Toilettes » et deux petites figures en costume régional, un paysan et une paysanne. Firmino entra dans les toilettes, se lava les mains et se regarda dans le miroir. Il pensa à la recommandation de l'avocat de ne pas se prendre pour Philip Marlowe. Ce n'était pas vraiment son rôle, mais l'indication du quinquagénaire déprimé l'intéressait. Il sortit des toilettes et, toujours d'un air nonchalant, se glissa derrière le rideau d'à côté, qui ouvrait sur un corridor tapissé de moquette au sol et sur les murs. Firmino avança tranquillement. Sur la droite, il trouva une porte capitonnée avec une petite plaque d'argent sur laquelle était écrit « La Bohème ». Firmino l'ouvrit brusquement et glissa la tête à l'intérieur. C'était un petit boudoir feutré et bleu, avec une lumière tamisée et un divan. Un homme était étendu sur le divan et la musique était de Puccini, lui sembla-t-il, même s'il ne parvint pas à reconnaître de quel opéra il s'agissait. Firmino s'approcha de la personne étendue le ventre en l'air et lui donna un petit coup sur l'épaule. L'homme ne bougea pas. Firmino le secoua par le bras. L'homme paraissait dans un coma profond. Firmino sortit rapidement et ferma la porte.

Il rejoignit sa table. Le quinquagénaire déprimé continuait de fixer obstinément sa bouteille de champagne.

— J'ai l'impression qu'il faut attendre un peu, lui murmura Firmino, le petit salon est occupé.

— Vous croyez ? demanda l'homme d'un air anxieux.

— J'en suis sûr, répondit Firmino, il y a à l'intérieur un homme qui est dans le monde des rêves.

Le quinquagénaire déprimé eut un air désespéré.

— Mais pour moi ce sera une chose rapide, dit-il, deux minutes, je vais peut-être faire un saut dans le bureau du directeur.

— Ah ! bien sûr, répondit Firmino.

L'homme fit un signe au maître d'hôtel, il y eut un bref conciliabule, tous deux s'éloignèrent en longeant les murs de la salle et disparurent derrière le rideau de velours. Les lumières baissèrent d'intensité, la jeune femme qui auparavant chantait le blues apparut sur la scène, réchauffa le public avec deux plaisanteries sympathiques et promit de chanter un fado des années trente en demandant encore dix minutes de patience, parce que, précisa-t-elle, le joueur de viole avait eu un contretemps. Firmino gardait les yeux fixés sur le rideau du corridor. Le quinquagénaire déprimé réapparut et passa d'un pas agile à travers la salle, entre les tables. Quand il se fut assis, il regarda Firmino. Il n'était plus déprimé, ses yeux brillaient et il avait une expression pleine de vitalité. Il fit un geste à Firmino avec le pouce relevé, comme un pilote qui aurait dit OK.

— En forme ? lui demanda Firmino.

— Vingt-cinq ans de moins que moi, mais c'était une petite pute, murmura l'homme, sauf qu'il m'a fallu un moment de réflexion pour m'en rendre compte.

— Une réflexion qui coûte un peu cher, susurra à son tour Firmino.

— Deux cents dollars bien dépensés, dit l'homme, vraiment du bon marché, si on tient compte de la discrétion.

— Effectivement ce n'est pas très cher, répondit Firmino, j'ai malheureusement oublié mes dollars à la maison.

— Monsieur Titânio n'accepte que les dollars, cher ami, dit le quinquagénaire, mettez-vous à sa place, vous accepteriez des escudos portugais avec tous les risques qu'il prend ?

— Certainement pas, confirma Firmino.

— Vous aviez réservé pour « La Bohème » ? demanda l'homme, dommage pour vous.

Firmino regarda le ticket de caisse et compta ses sous au centime près. Heureusement, on payait en escudos. L'envie lui était venue de parcourir à pied tout le bord de mer, un peu d'air lui ferait à coup sûr du bien.

XVI

Firmino entra dans la cour intérieure du petit immeuble de la Rua das Flores et passa devant le cagibi de la concierge. La femme lui jeta un rapide coup d'œil et plongea de nouveau le regard dans son tricot. Firmino traversa le couloir et sonna. La porte s'ouvrit avec un déclic, comme la première fois.

Don Fernando était assis à une petite table couverte d'une nappe verte, presque en équilibre sur un siège qui contenait difficilement sa masse, avec devant lui un jeu de cartes. Son cigare était allumé, mais il était posé dans le cendrier sur la grande table et se consumait lentement. Dans la salle régnait une odeur de moisissure et de vieille fumée.

— Je suis en train de faire un *Spite and Malice*, dit Don Fernando, mais je ne réussis pas, ce n'est pas ma journée. Vous savez jouer au *Spite and Malice* ?

Firmino était resté planté devant lui, avec une liasse de journaux sous le bras, et il regarda l'avocat sans rien dire.

— On appelle ça des patiences, dit Don Fernando,

mais c'est une définition inexacte, il faut aussi de l'in-
tuition et de la logique, outre la chance bien entendu.
Là, c'est une variante du *Milligan*, vous ne connaissez
même pas le *Milligan* ?

— Assurément non, répondit Firmino.

— Le *Milligan* se dispute à plusieurs joueurs,
expliqua Don Fernando, avec deux tas de cinquante-
deux cartes et des colonnes en progression, on ouvre
avec l'as ou avec la dame, avec l'as la colonne est
ascendante, avec la dame elle est descendante, mais
l'intérêt n'est pas là, l'intérêt est dans les obstacles.

L'avocat prit le cigare qui avait formé deux bons
centimètres de cendre et en tira une voluptueuse
bouffée.

— Vous devriez étudier un peu les soi-disant jeux
de patience, continua-t-il, certains ont un mécanisme
semblable à l'insupportable logique qui conditionne
notre vie, par exemple le *Milligan*, mais asseyez-vous,
jeune homme, prenez ce fauteuil.

Firmino s'assit et déposa la liasse de journaux sur
le plancher.

— Le *Milligan* est très intéressant, dit l'avocat, car
il est basé sur les coups que chaque joueur exécute
pour disposer des pièges afin d'entraver le jeu de l'adversaire qui vient après lui, et ainsi de suite, comme
dans les discussions internationales de Genève.

Firmino le regarda et une expression de stupeur se
dessina sur son visage. Il essaya rapidement de
déchiffrer ce que voulait dire l'avocat mais n'y réussit
pas.

— Les discussions de Genève ? demanda-t-il.

— Oui, dit l'avocat, il y a quelques années je demandai à être observateur aux discussions sur le désarmement nucléaire et de missiles qui avaient lieu au siège des Nations unies à Genève. Je devins ami d'une femme, l'ambassadeur d'un pays qui proposait le désarmement. La situation faisait que son pays, tout en procédant à des essais atomiques, était engagé dans la dénucléarisation du monde, vous comprenez le concept ?

— Je comprends le concept, dit Firmino, c'est un paradoxe.

— Bien, continua l'avocat, c'était une dame assez cultivée, cela va de soi, mais elle était surtout une passionnée de cartes. Un jour, je lui demandai de m'expliquer le mécanisme de ces pourparlers, qui échappait à ma logique. Savez-vous ce qu'elle me répondit ?

— Aucune idée, répondit Firmino.

— Qu'il me fallait étudier le *Milligan*, parce que la logique était la même, c'est-à-dire : chaque joueur qui prétend collaborer avec l'autre construit en réalité des suites de cartes qui ménagent des pièges pour limiter le jeu de l'adversaire. Qu'en pensez-vous ?

— Pas mal, comme jeu, répondit Firmino.

— Eh oui, dit Don Fernando, et c'est sur cette base que tient l'équilibre atomique de notre planète, sur le *Milligan*.

Il donna un petit coup sur une des colonnes de cartes.

— Mais moi j'y joue seul, selon la variante du *Spite and Malice*, cela me semble plus opportun.

— Vous voulez dire ? demanda Firmino.

— Que je fais un solitaire, de façon à être simultanément moi-même et mon adversaire, il me semble que la situation l'exige, relativement à des missiles qu'il faut lancer ou qu'il faut éviter.

— Nous en avons un, de missile, déclara Firmino avec satisfaction, ce n'est peut-être pas une ogive nucléaire mais c'est déjà quelque chose.

Don Fernando mit son jeu de patience sens dessus dessous et commença de ramasser les cartes une à une.

— Ça m'intéresse, jeune homme, dit-il.

— On revend de la drogue au « Puccini's Butterfly », dit Firmino, et on consomme sur place. Il y a des petits salons réservés qui donnent sur un couloir, de la musique d'opéra et de confortables divans, je crois qu'il s'agit surtout de cocaïne, mais il pourrait aussi s'agir de marchandise plus dure, une ligne coûte deux cents dollars, et le chef d'orchestre n'est autre que Titânio Silva. Je lui lance une torpille dans le journal ?

L'avocat se leva et traversa la pièce d'un pas incertain. Il s'arrêta à côté d'une console de style Empire sur laquelle se trouvait une photographie sous cadre que Firmino n'avait jamais remarquée. Il s'appuya du coude sur le marbre de la console, dans une attitude qui parut à Firmino relever à la fois du théâtre et du tribunal, comme s'il avait eu devant lui une cour à qui s'adresser.

— Vous êtes un brave reporter, jeune homme, s'exclama-t-il, avec certaines limites naturellement, mais n'allez pas jouer au Don Quichotte, car le sergent Titânio Silva est un moulin à vent très dangereux. Puisque nous savons bien que notre héroïque Don Quichotte se retrouva en mauvaise posture après avoir été accroché par la roue du moulin, et comme je ne peux ni ne veux être votre Sancho Pança pour recouvrir d'huile balsamique votre misérable corps contusionné, je vous dirai une seule chose, et ouvrez bien vos oreilles. Ouvrez bien les oreilles, car il s'agit d'un coup fondamental de notre *Milligan*. Vous allez à présent rédiger un communiqué de presse détaillé à envoyer à une agence, et ce communiqué de presse détaillé qui décrit point par point le « Puccini's Butterfly », avec ses petits salons tendres, sa musique d'opéra, ses enveloppes de substances variées et les dollars habilement comptés par le caissier très expert qu'est Titânio Silva, tout cela, disais-je, sera reproduit en bloc par la presse portugaise, toute la presse possible et imaginable, celle qui s'intéresse au destin magnifique et progressif du genre humain et celle qui s'intéresse aux voitures sportives des petits industriels du Nord, ce qui est d'ailleurs une autre manière de concevoir le magnifique destin progressif du genre humain, en bref, chacun aura sa façon de donner l'information, qui férocement, qui sur le ton du scandale, qui avec réserve, mais tous devront écrire que probablement, je dis bien probablement, suite à des témoignages précis, il ressort que dans la boîte de nuit déjà mentionnée on vend de la drogue impunément, adverbe conforté par la curieuse distraction de la Guarda Nacional qui n'y a jamais effectué la moindre perquisition, quand bien même on vend dans la boîte de nuit en question des poudres onirisantes, l'adjectif vous plaît-il ? au prix modique de deux cents dollars l'enveloppe, c'est-à-dire le tiers du salaire mensuel d'un travailleur portugais normal et, de la sorte, nous leur assurons, au « Puccini's Butterfly » et à monsieur Titânio, une belle perquisition de la police judiciaire.

L'avocat sembla reprendre son souffle. Il aspira de l'air comme quelqu'un qui se noie et sa respiration ressemble à celle d'un vieux bœuf.

— La faute aux « puros », dit-il, je dois acheter des « puros » espagnols parce que dorénavant les havanes ne se trouvent plus, ils sont devenus un simple souvenir, mais peut-être que cette île aussi n'est plus dorénavant qu'un souvenir.

Puis il continua :

— Nous divaguons, en réalité c'est moi qui divague, excusez-moi, aujourd'hui, j'ai trop de choses en tête.

La main sur laquelle son visage était appuyé triturait la joue tombante.

— Et puis j'ai mal dormi, ajouta-t-il, j'ai trop d'insomnies, et les insomnies amènent les fantasmes, elles font reculer le temps. Vous savez ce que ça signifie, le temps, quand il recule ?

Il regarda Firmino d'un air inquisiteur et Firmino éprouva de nouveau un embarras irrité. Il n'aimait pas cette manière dont usait Don Fernando avec lui et peut-être avec d'autres, comme s'il cherchait une complicité, comme s'il attendait une confirmation de ses doutes, mais presque sur un mode menaçant.

— Je ne sais pas ce que ça signifie, avocat, dit-il, vous recourez à des expressions trop ambiguës, j'ignore ce que veut dire le temps qui recule.

— Le temps, susurra l'avocat, je me rends compte que vous n'êtes pas l'interlocuteur adapté. Bien sûr, vous êtes jeune, et pour vous le temps est un ruban qui se déroule devant vous, comme un automobiliste qui roule sur une route inconnue et dont le seul intérêt se porte sur ce qu'il verra après le prochain virage. Mais ce n'est pas tant cela que je veux dire, je me référais à un concept théorique, bon sang, qui sait pourquoi je m'implique pareillement dans les théories, peut-être parce que je m'occupe de droit, ça aussi c'est une énorme théorie, un édifice incertain au sommet duquel s'ouvre une coupole infinie, comme la voûte céleste que nous observons commodément assis dans les fauteuils d'un planétarium. Vous savez, il m'est arrivé une fois d'avoir dans les mains un traité de physique théorique, une de ces élucubrations très élaborées de mathématiciens enfermés dans de confortables cellules universitaires, et qui parlait du temps, il y a une phrase qui m'a fait réfléchir, une phrase qui disait qu'à un certain moment, dans l'univers, le temps a commencé d'exister. Le scientifique ajoutait perfidement que ce concept s'avère incompréhensible pour nos structures mentales.

Il regarda Firmino avec ses petits yeux inquisiteurs. Il changea de position et mit ses mains dans les poches, avec l'attitude d'un gamin des rues qui provoque un passant.

— Je ne veux pas vous sembler présomptueux, dit-il d'un air provocateur, mais un concept aussi abstrait avait besoin d'une traduction humaine, vous comprenez ?

— Je fais de mon mieux, répondit Firmino.

— Le rêve, reprit l'avocat, la traduction de la théorie physique sur le plan humain est possible dans le rêve seulement. Parce que, en réalité, la traduction de ce concept ne peut avoir lieu que là, exactement là-dedans.

Il se donna un petit coup sur la tempe.

— Dans nos petites têtes, continua-t-il, mais uniquement quand elles dorment, dans cet espace incontrôlable qui est, selon Freud, l'Inconscient à l'état libre. Il est vrai que ce formidable détective ne pouvait établir la relation entre le rêve et la théorie physique, mais il serait intéressant qu'un jour quelqu'un le fasse. Cela vous dérange si je fume ?

Il alla d'un pas chancelant jusqu'à la petite table et alluma un de ses cigares. Il tira une bouffée sans avaler la fumée et dessina des ronds dans l'air.

— Parfois je rêve de ma grand-mère, dit-il d'un ton méditatif, je rêve trop souvent de ma grand-mère. Vous savez, elle a été très importante dans mon enfance, j'ai pratiquement grandi avec elle, même si c'était en réalité les institutrices qui s'occupaient de moi. Je rêve parfois qu'elle est une enfant.

Car ma grand-mère a été une enfant, bien sûr. Cette vieille femme atroce, grosse comme je le suis moi-même, les cheveux tirés en chignon, le ruban de soie autour du cou, les vêtements de soie noire, sa manière de me scruter en silence lorsqu'elle m'obligeait à prendre le thé dans ses appartements, cette femme qui fut mon cauchemar est entrée dans mes rêves, et elle y est entrée comme enfant, c'est étrange, je n'avais jamais imaginé que cette vieille mégère ait pu être une enfant, et au contraire dans mon rêve c'est une enfant, elle porte une petite robe bleue légère comme un nuage, elle va pieds nus, ses boucles lui tombent sur les épaules, ce sont des boucles blondes. Je me trouve de l'autre côté d'un ruisseau et elle tente de me rejoindre en cherchant à poser ses petits pieds roses sur les pierres du cours d'eau. Je sais qu'elle est ma grand-mère, mais en même temps c'est une enfant comme j'en suis un, je ne sais si je me fais comprendre, est-ce que je me fais comprendre ?

— Je ne sais pas, répondit prudemment Firmino.

— Je ne me fais pas comprendre, continua l'avocat, parce que les rêves ne s'expliquent pas, ils n'arrivent pas sur le terrain du formulable comme le voudrait le docteur Freud, je voulais seulement dire que le temps peut commencer ainsi, dans nos rêves, mais je n'ai pas réussi à le formuler.

Il écrasa son cigare dans le cendrier et eut un de ces grands soupirs qui ressemblaient au souffle d'un bœuf.

— Je suis fatigué, dit-il, j'ai besoin de me distraire, j'aurais des choses plus concrètes à vous dire, mais à présent nous devons sortir.

— Je suis venu à pied, précisa Firmino, comme vous le savez je n'ai pas de moyen de locomotion.

— À pied non, dit Don Fernando, avec toute cette graisse ça me fatigue trop d'aller à pied, peut-être que nous pourrions nous faire conduire par Manuel, s'il n'est pas trop occupé ce soir dans son troquet, c'est lui qui me sert de chauffeur dans les rares occasions, il s'occupe de la voiture de mon père, une Chevrolet de 1948, mais qui marche très bien, elle a un moteur qui fonctionne au quart de tour, nous pourrions lui demander de nous faire faire un tour.

Firmino se rendit compte que l'avocat attendait son approbation et se dépêcha d'acquiescer de la tête. Don Fernando prit le téléphone et appela Monsieur Manuel.

— Il n'est pas facile de s'évader de Porto, dit l'avocat, mais le problème est peut-être qu'il n'est pas facile de s'évader de soi-même, excusez le truisme.

La voiture parcourait la route du littoral, Monsieur Manuel conduisait avec beaucoup de componction, l'obscurité était tombée et, sur la gauche, on voyait à présent briller au loin les lumières de la ville. Ils passèrent devant un bâtiment imposant recouvert d'ardoise, l'avocat l'indiqua d'un geste discret de la main.

— C'est l'ancien siège de l'*Energia Eléctrica*, dit-il, quel bâtiment sinistre, pas vrai ? c'est devenu une sorte de dépôt des mémoires de la ville, mais quand j'étais enfant et qu'on m'amenait à la ferme, l'électricité n'arrivait pas encore à la campagne, les gens avaient des lampes à pétrole.

— À la Maison des Bêtes ? demanda Monsieur Manuel en se retournant légèrement.

— À la Maison des Bêtes, répondit l'avocat.

Il baissa la vitre pour faire entrer un peu de brise.

— La Maison des Bêtes, c'est ma tendre enfance, murmura-t-il, j'y ai passé les premières années de ma vie, l'institutrice allemande m'amenait en ville pour le thé dominical avec ma grand-mère, mais celle qui m'a tenu lieu de mère habitait là, elle s'appelait Mena.

L'automobile traversa le pont, prit à droite, emprunta une route peu fréquentée. À la lumière des phares, Firmino parvint à déchiffrer une ou deux indications : Areinho, Massarelos. Des localités qui ne lui disaient rien.

— Quand j'étais enfant, c'était une belle ferme florissante, dit l'avocat, voilà pourquoi elle s'appelait la Maison des Bêtes, des chevaux surtout, et des mules, et des cochons. Les vaches non, c'était nos fermiers du Nord qui les élevaient, du côté d'Amarante, ici c'étaient avant tout des chevaux.

Il soupira. Mais ce fut un léger soupir, presque imperceptible.

— Ma nourrice s'appelait Mena, continua-t-il en susurrant, c'était un diminutif, mais je l'ai toujours appelée Mena, maman Mena, une femme junonienne avec des seins qui auraient pu allaiter dix enfants et où je me réfugiais pour obtenir du réconfort, la poitrine de maman Mena.

— Au fond, ce sont de beaux souvenirs, observa Firmino.

— Mena mourut malheureusement trop vite, continua l'avocat sans prêter attention aux propos de Firmino, j'ai offert la ferme à son fils, à la condition qu'il continue d'élever quelques chevaux, il en garde encore trois ou quatre, même s'il y perd, il le fait seulement pour satisfaire mon caprice, pour que je me sente encore dans la maison de mon enfance, où je me réfugie quand j'ai besoin de réconfort ou de réflexion, et Jorge, le fils de maman Mena, est le seul parent qui me reste, c'est mon frère de lait, je peux débarquer chez lui à n'importe quelle heure. Sachez que ce soir on vous accorde un grand privilège.

— Je m'en rends compte, répondit Firmino.

Monsieur Manuel s'engagea dans une petite route de terre soulevant un nuage de poussière derrière l'automobile. La petite route aboutissait à une cour, avec une maison paysanne construite à l'ancienne. Sous le portique se tenait un monsieur qui les attendait. L'avocat descendit et l'embrassa. Firmino lui serra la main, l'homme murmura une formule de bienvenue et il comprit qu'il s'agissait du frère de lait de Don Fernando. Ils entrèrent dans une salle rustique aux poutres de bois, où la table était préparée pour cinq personnes. Firmino fut invité à s'asseoir, l'avocat disparut dans la cuisine, précédé de Monsieur Jorge. Quand ils revinrent, ils tenaient chacun un verre de vin blanc, et la jeune fille qui les suivait vint remplir les autres verres.

— C'est le vin de la ferme, expliqua l'avocat, mon frère l'exporte à l'étranger, mais cette bouteille ne se trouve pas sur le marché, elle est réservée à la consommation privée.

Il porta un toast et s'assit à la table.

— Fais aussi venir ta femme, dit l'avocat à Monsieur Jorge.

— Tu sais bien que ça la gêne, répliqua Monsieur Jorge, elle préfère dîner à la cuisine avec la fille, elle dit que c'est une conversation entre hommes.

— Fais venir ta femme, répéta Don Fernando d'un ton autoritaire, je veux qu'elle vienne à table avec nous.

La femme entra avec un plat en terre cuite, salua et s'assit en silence.

— Des grillades, expliqua Monsieur Jorge à l'avocat, comme s'il se justifiait, tu téléphones toujours au dernier moment, c'est tout ce que nous avons pu préparer, le cochon n'est pas de chez nous, mais tu peux avoir confiance.

Durant le repas ils ne dirent rien, ou peu de choses. Le temps, cette chaleur humide, le trafic routier devenu impossible : des propos de ce genre. Monsieur Manuel osa une plaisanterie et dit :

— Ah, cher Jorge, si je pouvais avoir un cuisinier comme le vôtre dans mon restaurant !

— Mon cuisinier, c'est ma femme, répondit Monsieur Jorge avec simplicité.

La conversation s'arrêta là. La fille qui avait servi le vin arriva de la cuisine pour apporter le café.

— C'est la nièce de Joaquim, dit Monsieur Jorge

en s'adressant à Don Fernando, elle est plus souvent chez nous qu'à la maison, tu te souviens de Joaquim ? Il a tellement souffert avant de mourir.

L'avocat acquiesça et ne répondit pas. Monsieur Jorge ouvrit une bouteille d'eau-de-vie et fit le tour des verres.

— Fernando, dit-il, Manuel et moi nous restons ici à table pour bavarder, nous avons beaucoup de choses à nous dire sur les vieilles automobiles, si tu veux emmener ton hôte voir les chevaux, vas-y.

L'avocat se leva avec son verre d'eau-de-vie à la main et Firmino le suivit hors de la maison. La nuit était pleine d'étoiles et le ciel avait une luminosité extraordinaire. Derrière la colline, on voyait la réverbération des lumières de Porto. L'avocat fit quelques pas dans la cour avec Firmino à ses côtés. Il leva un bras et fit un geste circulaire en suivant la circonférence de la cour.

— Des cognassiers, dit-il, ici autour il y avait beaucoup de cognassiers, autrefois. Les cochons allaient se nourrir dessous, car de nombreux fruits tombaient à terre. Mena faisait de la confiture dans une grande casserole toute noircie, elle la faisait bouillir dans la cheminée.

On voyait, au-delà de la cour, les silhouettes sombres des écuries et des fenils. L'avocat s'y rendit d'un pas incertain.

— Le nom d'Artur London vous dit quelque chose ? murmura-t-il.

Firmino réfléchit un instant. Il avait toujours peur

de se tromper lorsqu'il répondait aux questions inattendues que lui posait l'avocat.

— Ce n'était pas ce dirigeant politique tchécoslovaque qui fut torturé par les communistes de son pays ? répliqua-t-il.

— Afin qu'il confesse le faux, ajouta l'avocat, il a écrit un livre à ce sujet, intitulé *L'Aveu*.

— J'ai vu le film, déclara Firmino.

— C'est la même chose, murmura l'avocat, les noms de ses principaux bourreaux sont Kohoutek et Smola, voilà leurs noms exacts.

Il ouvrit la porte des écuries et entra. Il y avait trois chevaux, et l'un d'eux piaffa, comme épouvanté. Au-dessus de la porte se trouvait une lampe bleue, comme dans les trains. L'avocat s'assit lourdement sur une botte de paille et Firmino en fit de même.

— J'aime cette odeur, dit Don Fernando, quand je me sens déprimé, je viens ici, je respire cette odeur et je regarde les chevaux.

Il se donna un petit coup sur le ventre.

— Je crois que pour un homme comme moi, au physique aussi déformé et répugnant, regarder la beauté d'un cheval est une sorte de consolation, cela donne confiance en la nature. À propos, le nom d'Henri Alleg vous dit-il quelque chose ?

Firmino se sentit de nouveau pris de court. Il secoua simplement la tête dans la demi-obscurité et préféra ne pas répondre.

— Dommage, dit l'avocat, c'était un de vos confrères, un journaliste, il a écrit un livre intitulé

La Question qui nous raconte comment, en 1957, accusé par les forces armées françaises d'être communiste et sympathisant algérien, il fut, lui européen et français, torturé à Alger pour qu'il révèle les noms des autres résistants. Récapitulons : London fut torturé par les communistes, Alleg fut torturé parce qu'il était communiste. Ce qui confirme que la torture peut venir de tous les côtés, voilà le problème.

Firmino ne répondit pas. Un des chevaux piaffa de nouveau, avec un cri que Firmino jugea inquiétant.

— Le bourreau d'Alleg s'appelait Charbonnier, susurra l'avocat, un lieutenant de parachutistes, et c'était lui qui envoyait les décharges électriques sur les testicules, Charbonnier, j'ai la manie de retenir les noms des tortionnaires, qui sait pour quelle raison j'ai l'impression que retenir les noms des tortionnaires est une chose qui a un sens, en fait vous savez pourquoi ? parce que la torture est une responsabilité individuelle, l'obéissance à un ordre supérieur n'est pas tolérable, trop de gens se sont cachés derrière cette misérable justification en en faisant un bouclier légal, vous comprenez ? ils se cachent derrière la Grundnorm.

Il eut un énorme soupir et un des chevaux répondit en piaffant avec irritation.

— Il y a de nombreuses années, quand j'étais un jeune homme plein d'enthousiasme, et quand je croyais qu'écrire servait à quelque chose, je m'étais mis en tête d'écrire sur la torture. Je revenais de

Genève, le Portugal était alors un pays dictatorial dominé par une police politique qui savait comment arracher les confessions aux gens, je ne sais si je me fais comprendre. J'avais assez de matière autochtone à étudier, entièrement à ma disposition, l'Inquisition portugaise, et je commençai de fréquenter les archives de la Torre do Tombo. Je vous assure que les méthodes raffinées des bourreaux qui ont torturé des individus pendant des siècles dans notre pays sont d'un intérêt tout particulier, aussi attentives à la musculature du corps humain que ne le fut le grand Vésale, étudiant les réactions que peuvent avoir les principaux nerfs qui traversent nos membres et nos organes génitaux, une connaissance anatomique parfaite, menée au nom d'une Grundnorm portée à son apogée, la Norme Absolue, vous comprenez ?

— C'est-à-dire ? demanda Firmino.

— Dieu, répondit l'avocat, ces bourreaux affairés et raffinés travaillaient pour le compte de Dieu, c'est de lui qu'ils avaient reçu l'ordre supérieur, le concept est pratiquement identique : je ne suis pas responsable, je suis un humble sergent et c'est mon capitaine qui m'en a donné l'ordre, je ne suis pas responsable, je suis un humble capitaine et c'est mon général qui m'en a donné l'ordre, ou même l'État. Ou encore : Dieu. C'est plus irréfutable.

— Et finalement, vous n'avez rien écrit ? demanda Firmino.

— J'y ai renoncé.

— Pourquoi ? demanda Firmino, excusez-moi si je vous pose cette question.

— Qui sait, répondit Don Fernando, cela me semblait peut-être inutile d'écrire contre la Grundnorm, j'avais d'ailleurs lu sur la torture un essai d'un Allemand plein de suffisance, et cela m'a dissuadé.

— Pardonnez ma curiosité, dit Firmino, mais vous ne lisez que des Allemands ?

— Essentiellement, répondit Don Fernando, peut-être est-ce la culture à laquelle j'appartiens vraiment, même si j'ai grandi au Portugal, c'est la première langue dans laquelle j'ai appris à parler. L'auteur de cet essai s'appelait Alexander Mitscherlich, un psychanalyste, malheureusement les psychanalystes ont eux aussi commencé à s'occuper de ces problèmes, vous savez, et ce type-là a utilisé l'image du Christ crucifié en affirmant qu'elle est une image associée à notre culture et pour soutenir que la mort en soi ne constitue pas, dans l'Inconscient, une punition suffisante, et la conclusion pratique de tout cela est qu'il ne faut pas se faire d'illusion, la torture ne disparaîtra jamais, car nous ne pouvons pas supprimer les pulsions destructrices de l'homme. En bref, résignons-nous, *parce que l'homme est méchant.* Voilà ce que voulait dire ce type avec ses théories freudiennes, l'homme est méchant. Du coup, j'ai fait un autre choix.

— Ce qui veut dire ? demanda Firmino.

— Passer à l'acte pratique, répondit Don Fernando, c'est plus humble, aller au tribunal défendre ceux qui subissent de mauvais traitements. Je ne saurais dire s'il est plus utile d'écrire un traité sur l'agriculture ou d'enlever une motte avec la pelle, mais j'ai choisi d'enlever une motte avec la pelle, comme un paysan. J'ai parlé d'humilité, mais ne me croyez pas trop, au fond c'est surtout une position d'orgueil.

— Pourquoi me racontez-vous tout cela ? demanda Firmino.

— Damasceno Monteiro a été torturé, murmura l'avocat, il a des marques de brûlures de cigarette sur tout le corps.

— Comment le savez-vous ? demanda Firmino.

— J'ai demandé une seconde autopsie, dit Don Fernando, la première autopsie avait oublié de rapporter ce détail insignifiant.

Il respira profondément, avec un gargouillis d'asthmatique.

— Sortons, dit-il, j'ai besoin d'air. En attendant, écrivez cela dans votre journal, de source inconnue bien entendu, mais faites-le savoir tout de suite à l'opinion publique, dans deux ou trois jours nous parlerons éventuellement du soi-disant secret de l'instruction et des interrogatoires en cours, mais une chose à la fois.

Ils sortirent dans la cour. Don Fernando leva la tête et regarda la voûte céleste.

— Des millions d'étoiles, dit-il, des millions de nébuleuses, bordel, des millions de nébuleuses, et nous qui sommes ici à nous occuper d'électrodes qu'on nous fixe aux parties génitales.

XVII

Dona Rosa prenait un café, assise dans un des fauteuils du petit salon. Il était dix heures du matin. Firmino savait qu'il avait un air ébahi, malgré la douche tiède d'un quart d'heure avec laquelle il avait tenté de se réveiller.

— Mon cher jeune homme, dit cordialement Dona Rosa, venez prendre un café avec moi, je ne réussis jamais à vous voir.

— J'étais hier au jardin botanique, se justifia Firmino, j'y ai passé toute la journée.

— Et avant-hier ? demanda Dona Rosa.

— Au musée, puis au cinéma, un film que j'avais raté à Lisbonne, répondit Firmino.

— Et avant-avant-hier ? insista Dona Rosa avec un sourire.

— Chez l'avocat, dit Firmino, il m'a emmené dîner à la campagne dans une ferme qui lui appartient.

— Elle ne lui appartient plus, précisa Dona Rosa.

— Il me l'a dit, répondit Firmino.

— Et au jardin botanique, demanda Dona Rosa, qu'avez-vous trouvé de si intéressant ? je n'y suis jamais allée, je vis entre ces quatre murs.

— Un dragonnier centenaire, répondit Firmino, c'est un énorme arbre tropical dont il existe peu d'exemplaires au Portugal, il semble qu'il ait été planté par Salabert au XIXe siècle.

— Vous savez tellement de choses, mon cher garçon, s'exclama Dona Rosa, du reste pour faire le métier que vous faites il faut de la culture, racontez-moi, qui était ce monsieur au nom étranger qui a planté l'arbre ?

— Le peu que j'en sais, répondit Firmino, je l'ai lu dans mon guide, un Français qui arriva à Porto avec les invasions napoléoniennes, je crois qu'il était officier dans l'armée française, il avait la passion de la botanique, c'est lui qui a fondé le jardin botanique de Porto.

— Les Français sont des gens de culture, dit Dona Rosa, ils ont fait la révolution républicaine bien avant nous.

— Chez nous la république est arrivée en 1910, répondit Firmino, chaque pays a son histoire.

— Je lisais hier dans *Hola* un reportage sur les monarchies de l'Europe du Nord, dit Dona Rosa, voilà des gens bien, ils ont un tout autre style.

— Ils ont aussi fait de la résistance contre les nazis, dit Firmino.

Dona Rosa eut une petite exclamation d'émerveillement.

— Ça je ne le savais pas, murmura-t-elle, on voit que ce sont des gens bien.

Firmino finit de boire son café, se leva et s'excusa en disant qu'il devait aller chercher les journaux. Dona Rosa, avec une expression rayonnante, lui indiqua une liasse de journaux sur le divan.

— Ils sont déjà là, dit-elle, tout frais, Francisca est allée les acheter à huit heures, c'est un beau scandale, toute la presse en parle, Titânio se trouve dans un beau pétrin, si vous n'aviez pas été là, vous, journalistes, la police ne serait jamais descendue dans cette boîte de nuit, heureusement qu'il y a la presse.

— On fait modestement ce qu'on peut, répondit Firmino.

— L'avocat a téléphoné à neuf heures, l'informa Dona Rosa, il a besoin de vous parler, en réalité il m'a chargé de tout, mais je crois qu'il est préférable que vous vous parliez d'abord.

— Je vais tout de suite aller chez lui, répondit Firmino.

— Ce n'est pas une bonne idée, précisa Dona Rosa, l'avocat ne peut pas vous recevoir aujourd'hui, il a une de ses crises.

— Quelles crises ? demanda Firmino.

— Chacun de nous peut avoir des crises, dit doucement Dona Rosa, c'est pourquoi il vaut mieux que vous n'alliez pas le déranger, mais ne vous en faites pas, il a dit qu'il rappellerait pour vous donner ses instructions, il suffit d'avoir un peu de patience.

— Oui, dit Firmino, je ne manque pas de

patience, mais j'aurais aimé faire deux trois pas, peut-être jusqu'au Café Central.

— J'ai compris que vous aviez besoin d'un bon café fort, dit amoureusement Dona Rosa, le café que Francisca prépare le matin est plein d'orge, vous préféreriez un bel expresso, je vais vous en faire apporter un, installez-vous ici et lisez pendant ce temps tous les beaux articles sur cette boîte de nuit, ensuite nous regarderons un documentaire sur la nature, je ne sais pas si vous l'avez déjà vu, c'est un programme qui me fascine, il est réalisé par un scientifique très sympathique de l'université de Lisbonne, aujourd'hui l'émission est consacrée au caméléon de l'Algarve, il paraît que l'Algarve est un des rares endroits en Europe où le caméléon a réussi à survivre, je l'ai lu dans *TV-Hebdo*.

— D'après moi, les caméléons réussissent à survivre un peu partout, lança Firmino en plaisantant, il leur suffit de changer de couleur.

— Vous m'avez enlevé le mot de la bouche, dit Dona Rosa avec un petit rire, et vous, vous devez mieux connaître que moi ce genre de caméléons, avec le travail que vous faites, tandis que moi je reste enfermée entre ces quatre murs, mais croyez-moi, j'en ai aussi connu un ou deux, de caméléons, surtout dans cette ville.

Sur l'écran de la télévision, on voyait une lagune avec une plage blanche et des dunes irrégulières. Firmino pensa à Tavira, c'était peut-être justement dans les environs. Puis on vit une baraque sur la plage qui était aussi un restaurant, avec quelques rares tables en plastique et des personnes qui mangeaient des coquillages, des gens blonds, qui semblaient être des étrangers. La caméra fit un gros plan d'une jeune femme au visage plein de taches de rousseur et on lui demanda ce qu'elle pensait de cet endroit. La jeune femme répondit en anglais et les sous-titres de ses propos apparurent au bas de l'écran. Elle disait que cette plage était un vrai paradis pour une personne comme elle qui venait de Norvège, le poisson était formidable et un déjeuner à base de fruits de mer coûtait le prix de deux cafés en Norvège, mais le motif fondamental pour lequel elle mangeait dans cette baraque, c'était Fernando Pessoa, et elle indiquait de l'index une branche de la pergola qui recouvrait le restaurant. La caméra se déplaça vers la branche et l'on voyait au premier plan un gros lézard figé aux yeux très mobiles, qui semblait faire partie de l'arbre. C'était un des pauvres caméléons qui avaient survécu dans l'Algarve. Le journaliste de la télévision demanda à la jeune femme norvégienne pourquoi cet animal s'appelait Fernando Pessoa, elle répondit qu'elle n'avait jamais rien lu de ce poète mais qu'elle savait que c'était un homme aux mille masques, or les caméléons pouvait se camoufler sous toutes sortes de travestissements, voilà pourquoi le propriétaire du restaurant lui avait dédié son enseigne. La caméra se déplaça vers une enseigne peinte à la main qui dominait la baraque et sur laquelle était écrit : « Cameleonte Pessoa. »

À cet instant, le téléphone sonna et Dona Rosa fit signe à Firmino de répondre.

— J'ai une ou deux choses à vous dire, commença l'avocat, avez-vous de quoi écrire ?

— J'ai mon carnet, répondit Firmino.

— Ils se contredisent, dit l'avocat, prenez des notes car c'est important. Dans la première version, ils ont nié avoir emmené Damasceno au commissariat. Ils ont malheureusement été démentis par un témoin qui les avait par hasard suivis en voiture. Ils disaient l'avoir fait descendre en cours de route, alors que Torres, qui les a suivis à distance avec sa voiture jusqu'à Porto, prétend avoir vu de ses propres yeux Damasceno introduit à coups de poing et de claques dans le commissariat. Deuxième contradiction : ils ont dû admettre qu'ils avaient emmené Monteiro au commissariat pour un simple contrôle, mais qu'ils l'avaient gardé peu de temps, histoire de procéder aux vérifications d'usage, une demi-heure au maximum. Donc, en supposant qu'ils soient entrés vers minuit, Monteiro serait sorti du commissariat sur ses deux jambes vers minuit et demi. Vous me suivez ?

— Je vous suis, assura Firmino.

— Sauf que Torres, continua l'avocat, qui me semble un type fiable, prétend être resté dans sa voiture jusqu'à deux heures du matin, et ne pas avoir vu sortir Damasceno Monteiro. Vous me suivez ?

— Je vous suis, confirma Firmino.

— Donc, précisa l'avocat, Monteiro est resté au commissariat au moins jusqu'à deux heures, après quoi Torres a pensé qu'il valait mieux rentrer chez lui et il s'en est allé. À partir de là, les choses sont plus confuses, par exemple le planton qui aurait dû enregistrer les entrées au commissariat à ce moment-là dormait comme un bienheureux, effondré sur son bureau, ou un certain café que le Grillon Vert est descendu préparer dans la cuisine en se faisant aider d'un agent, des éléments de ce genre, avant qu'ils ne mettent au point une déclaration un peu plus logique, qui est la version définitive, celle dont le Grillon Vert se servira à coup sûr au procès. Mais cette version, je ne peux pas vous la livrer.

— Et qui me la livrera ? demanda Firmino.

— Vous l'aurez directement de la bouche de Titânio Silva, répondit l'avocat, je suis certain que c'est sa version définitive et je suis tout aussi certain qu'il en usera au procès, mais c'est un témoignage qu'il serait préférable de recueillir de vive voix.

Firmino entendit dans le combiné une sorte de râle et quelques toussotements.

— J'ai une crise d'asthme, expliqua l'avocat d'une voix sifflante, chez moi c'est une forme d'asthme psychosomatique, les grillonns ont une poudre sous les ailes qui me fait venir l'asthme.

— Que dois-je faire ? demanda Firmino.

— J'avais promis de vous parler d'éthique professionnelle, enchaîna l'avocat, considérez cet échange téléphonique comme votre première leçon pratique. En attendant, soulignez bien dans votre journal les contradictions de ces messieurs, il est bon que l'opinion publique s'en fasse une idée, quant à la dernière version, allez demander un entretien au Grillon Vert, il croira certainement qu'en donnant un entretien il prend ses précautions, mais nous aussi nous prenons nos précautions, chacun fait son jeu, comme au *Milligan*, compris ?

XVIII

« Nous nous trouvons à " L'Antarctique ", célèbre glacier à l'embouchure du Douro, devant le merveilleux estuaire du fleuve qui traverse Porto. Un personnage qui se trouve sous les projecteurs de l'opinion publique et sur lequel, d'après certains témoignages, pèseraient de lourdes responsabilités dans la mort de Damasceno Monteiro, le sergent Titânio Silva de la Guarda Nacional locale, a accepté de nous rencontrer. Un rapide portrait s'impose. Cinquante-quatre ans, originaire de Felgueiras, d'origine sociale modeste, enrôlé dans la Guarda Nacional à l'âge de dix-neuf ans, école militaire à Mafra, élève sous-officier en Angola de 1970 à 1973, une médaille du mérite pour le service effectué en Afrique, depuis dix ans sergent en attente de promotion au commissariat de la Guarda Nacional de Porto.

— Sergent, confirmez-vous le bref portrait que nous venons d'esquisser ? Vous êtes un héros de la guerre d'Afrique ?

— Je ne me considère pas comme un héros, j'ai simplement fait mon devoir pour la patrie sous les drapeaux. À vrai dire, quand je suis parti pour l'Angola je ne savais même pas où ça se trouvait. C'est dans nos territoires d'outre-mer que j'ai acquis ma conscience nationale.

— Pouvez-vous mieux définir votre concept de conscience nationale ?

— Je veux dire que j'ai pris conscience que nous combattions les subversifs opposés à notre civilisation.

— Par le mot civilisation, à quoi vous référez-vous ?

— À la civilisation portugaise, car c'est la nôtre.

— Et par le mot subversifs ?

— Aux nègres qui nous tiraient dessus tout simplement parce que des gens comme Amílcar Cabral leur disaient de le faire. J'ai alors eu conscience de défendre des territoires qui furent les nôtres depuis la nuit des temps, à une époque où il n'y avait en Angola ni culture ni christianisme : c'est nous qui les y avons apportés.

— Ensuite, avec votre décoration, vous rentrez en métropole et vous faites carrière dans le corps de police de Porto.

— Ce n'est pas tout à fait ça. On m'a d'abord affecté à la périphérie de Lisbonne, comme nous avions perdu la guerre il fallait s'occuper de tous les sans-emplois qui rentraient d'Afrique, les *retornados*.

— Nous qui ? Qui avait perdu la guerre ?

— Nous, le Portugal.

— Et avec ces personnes qui revenaient des ex-colonies, comment ça s'est passé ?

— Nous avons eu beaucoup de problèmes, parce qu'ils avaient la prétention d'être logés dans de grands hôtels. Ils ont même fait des manifestations en lançant des pierres contre la police. Au lieu de rester sur place pour défendre l'Angola fusil à la main, ils arrivaient à Lisbonne et prétendaient obtenir des conditions luxueuses.

— Comment votre carrière s'est-elle poursuivie ?

— J'ai été appelé à Porto. Mais dans un premier temps on m'a confié le poste de Vila Nova de Gaia, j'ai d'abord été là.

— À ce qu'on dit, vous vous êtes fait des amis à Gaia.

— Qu'est-ce que ça veut dire ?

— Nous avons entendu parler de relations amicales avec des entreprises d'import-export.

— Il me semble que vous tombez dans l'insinuation. Si vous voulez lancer des accusations précises, dites-le-moi clairement et je vous traîne devant un tribunal, parce que vous les journalistes c'est exactement ce que vous méritez, être traînés devant le tribunal.

— Mais non, sergent, ne vous emportez pas. Je vous fais seulement part des bruits qui circulent. Il apparaît toutefois que vous connaissez la *Stones of Portugal.* Ou pensez-vous que c'est là aussi une insinuation ? Je répète ma question : connaissez-vous la *Stones of Portugal* ?

— Je la connais comme toutes les entreprises des

environs de Porto et je savais qu'elle avait besoin de protection.

— Pourquoi ? Il vous apparaît qu'elle était menacée ?

— Oui et non, même si le propriétaire ne s'était pas plaint explicitement. Nous savions toutefois qu'elle avait besoin de surveillance parce qu'elle importait du matériel de haute technologie, des appareils délicats, de la marchandise dont le prix se compte en millions d'escudos.

— On nous a dit que, clandestinement, un autre type de marchandise arrivait dans les containers de la haute technologie. Vous êtes au courant ?

— Je ne vois pas ce que vous voulez dire.

— De la drogue. Héroïne pure.

— Si cela avait été le cas nous l'aurions su, car nous avons de très bons informateurs.

— Il n'y avait donc pas, à votre connaissance, de drogue en provenance de Hong Kong cachée dans les containers de la *Stones of Portugal* ?

— Pas à ma connaissance. Notre ville n'a pas besoin de drogue, c'est une ville saine. Ici, nous aimons surtout les tripes.

— Nous avons pourtant lu dans la presse nationale qu'il y a, ici à Porto, une boîte de nuit où l'on vend de la drogue, et il semble que vous en soyez le propriétaire.

— C'est une insinuation que je repousse avec la plus grande fermeté. Si vous voulez parler du « Puccini's », je peux vous dire que c'est une boîte de nuit fréquentée par des gens distingués et qu'elle ne m'appartient pas, à moi, mais à ma belle-sœur, comme vous pourrez le vérifier à l'hôtel de ville.

— Mais on dit que vous y travaillez.

— Je vais parfois donner un coup de main pour la comptabilité. Je suis bon en calcul, j'ai suivi des cours d'administration.

— Pour revenir à la *Stones of Portugal*, il semble que le soir en question, votre patrouille a fait une ronde de ce côté-là, pouvez-vous nous raconter ?

— Nous sommes arrivés avec les feux de code, je ne me souviens pas de l'heure précise mais il devait être près de minuit, il s'agissait seulement d'un tour de surveillance.

— Pourquoi ce tour de surveillance ?

— Comme je vous l'ai dit, la *Stones of Portugal* importait des matériaux de haute technologie qui font envie aux malfrats, et notre devoir est de la protéger.

— Donc ?

— Nous avons garé la voiture à l'extérieur de la clôture et nous sommes entrés. La lumière du bureau était allumée. J'ai pénétré en premier à l'intérieur et j'ai surpris un voleur en flagrant délit.

— Expliquez-vous mieux.

— Il était debout devant un bureau et tenait dans la main le matériel technologique qu'il avait certainement dérobé.

— Uniquement du matériel technologique ?

— Uniquement du matériel technologique.

— Il n'avait pas aussi dans les mains des paquets pleins de poudre ?

— Je suis un policier, une autorité de l'État, vous voulez mettre ma parole en doute ?

— Surtout pas ! Et ensuite, que s'est-il passé ?

— Nous avons aussitôt arrêté l'individu qui, par la suite, s'est révélé être Monsieur Monteiro. Nous l'avons fait monter dans la voiture et nous l'avons emmené au commissariat.

— À ce point, il y a une première contradiction. Il semble que, dans votre témoignage initial, vous ayez déclaré l'avoir fait descendre durant le trajet.

— Qui vous a dit cela ?

— Disons que les parquets sont pleins de taupes : tantôt une dactylo, tantôt une téléphoniste, peut-être une simple femme de ménage, mais il s'agit d'un détail insignifiant, ce qui importe c'est que durant le premier interrogatoire devant le juge d'instruction vous avez soutenu que Damasceno Monteiro n'avait pas été emmené au commissariat mais que vous l'aviez fait descendre en cours de route.

— C'est une équivoque que j'ai moi-même veillé à clarifier. Il y a eu un malentendu avec mon collègue, l'agent Ferro.

— Pouvez-vous mieux nous expliquer ce malentendu ?

— Nous avions deux voitures de patrouille. Nous avions chargé Monsieur Monteiro dans la mienne. L'autre voiture, conduite par un collègue, dans laquelle se trouvait l'agent Ferro, nous suivait. À un moment donné nous nous sommes arrêtés, et l'agent a eu l'impression que Monsieur Monteiro descendait de la voiture, mais il s'est trompé. Vous savez, l'agent

Ferro est une recrue, un garçon encore jeune, et il s'endort facilement en voiture. Il s'est simplement trompé.

— Mais vous, devant le juge d'instruction, vous n'avez pas tout de suite démenti l'agent Ferro.

— Je l'ai démenti après, quand j'ai bien lu son témoignage.

— Ce n'est pas plutôt que vous l'auriez démenti parce que le témoin, Monsieur Torres, a déclaré vous avoir suivi avec sa voiture et avoir vu de ses propres yeux son ami Damasceno Monteiro entrer au commissariat bourré de coups de poing ou autres ?

— À coups de poing ou autres ?

— C'est ce qu'affirme le témoin.

— Cher Monsieur, nous ne traitons pas les gens à coups de poing ou autres ! Écrivez-le bien dans votre journal : nous respectons les citoyens.

— Prenons acte que la Guarda Nacional est très correcte. Mais pourriez-vous nous décrire les événements de cette nuit-là ?

— C'est simple, nous sommes montés au premier étage, où se trouvent les bureaux ainsi que la chambre de sûreté, et nous avons procédé à un premier interrogatoire du coupable. Il semblait désespéré, il a commencé de pleurer.

— Vous l'avez touché ?

— Expliquez-vous mieux.

— Si vous l'avez touché physiquement.

— Nous, nous ne touchons personne, cher Monsieur, parce que nous respectons la loi et la Constitution, si cela vous intéresse. Je vous dirai que

Monsieur Monteiro était désespéré et qu'il a commencé de pleurer, nous avons même dû essayer de le réconforter.

— Vous avez essayé de le réconforter ?

— C'était un pauvre gars, un malchanceux, il invoquait sa mère et disait que son père était alcoolique. À ce moment-là nous étions seuls, l'agent Costa et moi, parce que l'autre agent était allé aux toilettes, alors j'ai dit à l'agent Costa de descendre dans la petite cuisine de l'étage inférieur pour lui faire un café, car ce jeune gars faisait peine à voir, croyez-moi, il faisait vraiment peine à voir, l'agent Costa est descendu et après deux minutes il m'a appelé depuis les escaliers et il m'a dit : sergent, descendez un instant parce que la machine à café ne marche pas, ça ne passe pas. C'est ainsi que je suis descendu moi aussi.

— Et vous avez laissé Monsieur Monteiro tout seul ?

— Malheureusement. C'est là notre unique faute, nous sommes totalement responsables d'avoir laissé un instant ce garçon désespéré tout seul pour lui faire un café, et c'est ainsi que le malheur est arrivé.

— Quel malheur ? Voulez-vous mieux vous expliquer ?

— Nous avons entendu un coup de feu et nous sommes remontés au pas de course. Monteiro gisait à terre, inanimé. Il s'était emparé d'un pistolet que l'autre agent avait distraitement laissé sur le bureau, et il s'était tiré un coup dans la tempe.

— À bout portant ?

— Quand quelqu'un se tire un coup de revolver dans la tempe, il se le tire à bout portant, vous ne pensez pas ?

— Bien sûr, c'était seulement pour avoir une précision technique, il est évident qu'un suicidé se tire la balle à bout portant. Ensuite ?

— Ensuite, nous nous sommes retrouvés avec ce cadavre sur le plancher. Et un truc du genre, comme vous pouvez le comprendre, provoque une certaine panique même chez les policiers les plus habitués aux misères du monde. Par ailleurs, je n'en pouvais plus, j'étais de service depuis huit heures du matin, je devais absolument rentrer chez moi. Il fallait impérativement que je me fasse une injection de Sumigrene.

— De Sumigrene ?

— C'est un médicament américain qui vient d'arriver sur le marché, le seul remède qui puisse me soulager quand la migraine devient insupportable. J'ai joint à ma déposition un certificat médical sur les migraines dont je suis affecté depuis qu'une mine a explosé tout près de moi en Angola et m'a déchiré le tympan. J'ai donc abandonné mon poste, c'est l'unique faute, si on peut appeler cela une faute, dont je devrai rendre compte devant les juges, j'ai abandonné mon poste, moi qui sur le champ de bataille en Afrique n'ai jamais abandonné mon poste.

— Vous avez abandonné le corps de Damasceno Monteiro sur le plancher ?

— Ça s'est passé ainsi. Mais je ne sais pas ce qu'ont fait mes collègues.

— C'était qui ?

— Je ne veux pas donner les noms. Ils ont été présentés au juge d'instruction, on les verra apparaître au procès.

— Et le corps de Damasceno Monteiro ?

— Vous devez comprendre le trouble et l'angoisse de deux simples agents qui se retrouvent avec un cadavre sur le plancher de leur commissariat ! Je ne les excuse pas, mais je peux comprendre qu'ils l'aient débarrassé.

— C'est une dissimulation de cadavre.

— Bien sûr, je vous donne raison, c'est une dissimulation de cadavre, mais comme je vous l'ai dit, vous devez comprendre l'angoisse de deux simples agents qui se trouvent dans une situation du genre.

— Le corps de Monsieur Damasceno Monteiro a été retrouvé décapité.

— Il peut arriver tant de choses dans les parcs, au jour d'aujourd'hui.

— Vous voulez dire que quand le corps de Damasceno Monteiro a été transporté hors du commissariat, il avait encore la tête sur le cou ?

— C'est une chose qu'il faudra clarifier au procès. Pour ce qui me concerne, je peux vous dire que je mettrais ma main au feu au sujet de mes gars. Je peux vous assurer que mes agents ne sont pas des coupeurs de tête.

— Ça veut dire que d'après vous, la tête de Damasceno Monteiro a été coupée dans le parc ?

— Il y a tellement de gens étranges qui circulent à travers les parcs de cette ville.

— C'est difficile de faire ce travail dans un parc, d'après l'autopsie la décollation a été exécutée de manière parfaite, comme si elle avait été faite au couteau électrique, et pour les couteaux électriques il faut une prise de courant.

— Si c'est pour ça, il y a des couteaux de boucher qui coupent beaucoup mieux qu'un couteau électrique.

— Il apparaît toutefois que le corps de Damasceno Monteiro portait des marques de sévices. Il avait des brûlures de cigarette sur la poitrine.

— Nous ne fumons pas, cher Monsieur, écrivez-le dans votre journal. Personne ne fume dans mes bureaux, c'est une règle que j'ai imposée, j'ai aussi fait mettre des panneaux d'interdiction sur les murs. D'ailleurs, vous avez vu ce que l'État a finalement décidé de faire imprimer sur les paquets de cigarettes ? Que l'usage du tabac provoque de graves dommages à la santé. »

XIX

— Félicitations, jeune homme, vous avez fait du beau travail.

L'avocat était vautré dans un fauteuil, devant la bibliothèque, un insolite parfum frais, entre la lavande et le désodorisant, régnait dans la pièce ce matin-là.

— Sentez comme ça pue, dit Don Fernando, la concierge est passée, elle ne supporte pas le cigare, et moi je ne supporte pas ses vaporisateurs.

Firmino remarqua que les cartes sur la petite table étaient toutes présentées à découvert et disposées en colonnes.

— Vous avez réussi votre solitaire ? demanda-t-il.

— Ce matin j'y suis parvenu, répondit l'avocat, ça arrive parfois.

— Ce Titânio est un personnage visqueux, observa Firmino, les choses qu'il dit, et avec quel aplomb !.

— Vous vous attendiez à quelque chose de mieux ? demanda l'avocat, c'est la version qu'il proposera devant les juges, avec les mêmes mots, car de toute évidence Titânio possède un seul niveau stylistique, sauf que les actes des procès ne sont jamais publiés dans les journaux, tandis que là, vous avez fait en sorte que les lecteurs sachent comment parle le Grillon Vert. Du coup, j'ai l'impression que votre tâche est terminée.

— Vraiment terminée ? demanda Firmino.

— Du moins pour le moment, répondit l'avocat, tous les documents ont été réunis et l'instruction est close, il n'y a plus qu'à attendre le procès. Qui aura lieu rapidement, sans doute bien avant que vous ne l'imaginiez, nous aurons peut-être l'occasion de nous y revoir, qui sait.

— Vous croyez que ce sera une chose rapide ? demanda Firmino.

— Dans des cas comme celui-ci, il y a deux solutions, répondit l'avocat, la première c'est qu'ils renvoient le procès aux calendes grecques en le faisant sombrer dans les méandres de la bureaucratie, de façon que les gens oublient, ou dans l'espoir qu'éclate un beau scandale national ou international à même de détourner l'attention des médias. La seconde est de le résoudre dans les plus brefs délais, et je crois qu'ils choisiront cette seconde voie, par souci de démontrer que la justice est rapide et efficace et que les structures de l'État, c'est-à-dire la police, sont limpides, transparentes et surtout démocratiques. Vous avez compris le concept ?

— J'ai compris le concept, répondit Firmino.

— Et puis vous avez une fiancée, continua l'avocat, il ne faut pas laisser les fiancées trop seules, sans quoi elles deviennent mélancoliques, allez lui faire l'amour, c'est une des plus belles choses qu'on puisse faire à votre âge.

Il regarda Firmino de ses petits yeux inquisiteurs, comme s'il attendait une confirmation. Firmino se sentit rougir et acquiesça.

— Et votre étude sur le roman portugais d'après-guerre, non ? voilà un autre devoir qui vous attend. Passez chez Dona Rosa et faites vos valises, si vous vous dépêchez, vous avez un train à quatorze heures dix-huit, mais il n'est pas très bon, car il s'arrête aussi à Espinho, le suivant est à quinze heures vingt-quatre, ou même à seize heures douze, ou encore à six heures dix, à vous de choisir.

— Vous connaissez les horaires par cœur, dit Firmino, je suppose que vous prenez souvent cette ligne.

— La dernière fois remonte à vingt-cinq ans, répondit l'avocat, mais j'aime les horaires de trains, je trouve qu'ils ont leur intérêt.

Il se leva et se dirigea vers une des bibliothèques latérales, où se trouvaient des livres anciens aux reliures élégantes. Il en extrait un livre assez mince relié en cuir précieux, avec les angles recouverts de métal, et le tendit à Firmino. Sur la page de garde, en papier de pergamine, était imprimé le nom du relieur et une date : « Atelier Sampayo, Porto 1956. » Firmino le feuilleta. La couverture du volume original, que le relieur avait maintenue, était en carton bon marché jaunâtre et décoloré, il était dit en français, allemand et italien : Horaires des

Chemins de Fer Fédéraux. Firmino le feuilleta rapidement et regarda l'avocat d'un air interrogateur.

— Il y a de nombreuses années, dit Don Fernando, quand j'étudiais à Genève, j'ai acheté cet indicateur, c'était une publication commémorative des Chemins de Fer Fédéraux, les chemins de fer suisses ont une ponctualité vraiment helvétique, mais le plus beau est qu'ils considèrent Zurich comme le centre du monde, regardez par exemple page quatre, après la publicité des hôtels et des montres.

Firmino chercha la page quatre.

— Il y a une carte de l'Europe, dit-il.

— Avec tous les parcours ferroviaires, ajouta Don Fernando, signalés par des petits numéros progressifs, et chaque petit numéro progressif renvoie à la ligne de chaque pays d'Europe et à la page respective. De Zurich on peut rejoindre en train toute l'Europe, et les chemins de fer suisses vous indiquent tous les horaires des correspondanccs, vous avez par exemple envie d'aller à Budapest ? regardez page seize.

Firmino ouvrit la page seize.

— Le train pour Vienne part de Zurich à neuf heures et quart du quai 4, dit l'avocat, je ne me trompe pas ? La correspondance pour Budapest, la meilleure, signalée par un astérisque, est à vingt et une heures, parce que cela vous permet de prendre le train en provenance de Venise, l'horaire vous signale les services à bord, en l'occurrence des couchettes par compartiments de quatre personnes, le plus économique, des cabines wagon-lit doubles ou individuelles, une voiture restaurant et d'éventuelles boissons pour la nuit. Mais si vous voulez poursuivre jusqu'à Prague, qui est à la page suivante, vous n'avez pas d'autre choix que les diverses possibilités offertes par les chemins de fer hongrois, vous vérifiez ?

— Je vérifie, dit Firmino.

— Voulez-vous visiter le Grand Nord ? continua Don Fernando, Oslo par exemple, ville du soleil de minuit et du prix Nobel de la Paix, page dix-neuf, départ de Zurich à midi vingt et une du quai 7, l'horaire des ferry-boats utiles est fourni en note. Ou encore, que sais-je ? La Grande Grèce, le théâtre grec de Syracuse, l'antique civilisation méditerranéenne, pour rejoindre Syracuse allez page vingt et une, départ de Zurich à onze heures précises, toutes les correspondances possibles des chemins de fer italiens sont indiquées.

— Vous avez fait tous ces voyages ? demanda Firmino.

Don Fernando sourit. Il prit un cigare, mais ne l'alluma pas.

— Naturellement non, répondit-il, je me suis simplement limité à les imaginer. Puis je suis rentré à Porto.

Firmino lui tendit le volume. Don Fernando le prit, donna un rapide coup d'œil sans vraiment regarder et le lui tendit de nouveau.

— Je le connais par cœur, dit-il, je vous l'offre.

— Mais vous y êtes peut-être attaché, répondit Firmino sans savoir quoi dire d'autre.

— Oh, dit Don Fernando, tous ces trains sont périmés, des heures suisses très précises que le temps a avalées. Je vous l'offre comme souvenir des quelques jours que nous avons passés ensemble, et comme un souvenir personnel, s'il n'est pas présomptueux de ma part de vous supposer l'envie de posséder un souvenir de ma personne.

— Je le garderai comme souvenir, répondit Firmino. Excusez-moi, avocat, je dois aller prendre quelque chose, je reviens dans dix minutes.

— Laissez la porte entrouverte, dit l'avocat, comme ça, je n'aurai pas à me lever pour appuyer sur le bouton.

Firmino revint avec un paquet sous le bras, il le déballa soigneusement et posa une bouteille sur la petite table.

— Avant de partir je voudrais porter un toast avec vous, expliqua-t-il, la bouteille n'est malheureusement pas fraîche.

— Du champagne, observa Don Fernando, cela a dû vous coûter les yeux de la tête.

— Je l'ai mis sur le compte du journal, confessa Firmino.

— Il ne m'appartient pas de juger, dit Don Fernando.

— Avec les tirages extraordinaires qu'ils ont fait grâce à nos articles, il me semble que le journal peut bien nous offrir une bouteille de champagne.

— Vos articles, précisa Don Fernando en prenant deux coupes, vos articles.

— Bah, murmura Firmino.

Ils levèrent leurs coupes pour faire santé.

— Je propose de porter un toast à la bonne issue du procès, fit Firmino.

Don Fernando but une gorgée et ne répondit pas.

— Ne vous faites pas trop d'illusions, jeune homme, dit-il en posant sa coupe, je suis prêt à parier que ce sera un tribunal militaire.

— Mais ce serait absurde, s'exclama Firmino.

— C'est la logique des codes, répondit tranquillement l'avocat, la Guarda Nacional est un corps militaire, je ferai mon possible pour récuser cette logique, mais je ne nourris guère d'espoir.

— Il s'agit d'un atroce homicide, dit Firmino, de torture, de sombre trafic, de corruption, non d'un épisode guerrier.

— En effet, murmura l'avocat, et comment s'appelle votre fiancée ?

— Catarina, répondit Firmino.

— C'est un beau prénom, répondit l'avocat, que fait-elle dans la vie ?

— Elle vient de se présenter à un concours pour la bibliothèque municipale, elle possède un diplôme d'archiviste, mais on ne lui a pas encore répondu.

— C'est beau de pouvoir travailler dans les livres, murmura l'avocat.

Firmino remplit de nouveau les verres. Ils burent en silence. Puis Firmino prit le livre relié et se leva.

— Je crois qu'il est l'heure de m'en aller, dit-il.

Ils échangèrent une poignée de main.

— Mes compliments à Dona Rosa, lui cria encore Don Fernando dans son dos.

Firmino sortit dans la Rua das Flores. Un petit

vent frais et presque piquant s'était levé. L'air était transparent. Il remarqua que d'imperceptibles taches jaunes commençaient à se dessiner sur les feuilles des platanes. C'était le premier signe de l'automne.

XX

De cette journée, Firmino allait surtout retenir des sensations physiques, précises et en même temps étranges, comme si elles ne le regardaient pas, comme si une pellicule protectrice l'isolait dans une sorte de demi-sommeil dans lequel les informations des sens sont enregistrées par la conscience, mais où le cerveau est incapable de les élaborer rationnellement, aussi demeurent-elles fluctuantes comme de vagues états d'âme : ce petit matin brumeux d'une fin de décembre par lequel il descendit grelottant à la gare de Porto, les trains locaux qui déversaient les premiers banlieusards aux visages pleins de sommeil, le voyage en taxi à travers cette ville humide, aux bâtiments rébarbatifs, qui lui parut lugubre. Puis l'arrivée au palais de justice, les formalités bureaucratiques pour pénétrer à l'intérieur, les stupides objections du policier à l'entrée, qui le fouilla et ne voulait pas le laisser passer avec son enregistreur, la carte de journaliste qui l'avait finalement convaincu, l'irruption dans cette petite salle où toutes les places étaient déjà occupées. Il se demanda pourquoi, à l'occasion d'un procès de cette importance, on avait choisi une salle si petite, et il connaissait la réponse, bien sûr, sans néanmoins parvenir à se la formuler à lui-même, il en prit simplement acte, selon cet état de sensations très aiguës et en même temps atténuées dans lequel il se trouvait.

Il trouva une place dans l'étroite estrade réservée à la presse, délimitée par une balustrade en bois soutenue par de petites colonnes sombres et ventrues. Il s'attendait à une foule de reporters, de photographes, de flashes. Rien de tout cela. Il reconnut deux ou trois collègues avec lesquels il échangea un rapide salut, puis il vit des journalistes inconnus qui s'occupaient probablement de la chronique judiciaire. Il comprit que de nombreux journaux se contenteraient de publier un article sur la base des communiqués d'agence. Il aperçut, assis au premier rang, les parents de Damasceno. La mère était emmitouflée dans un manteau gris, elle tenait un mouchoir chiffonné dans la main et s'essuyait de temps en temps les yeux. Le père portait un invraisemblable blouson à carreaux rouges et noirs, de type américain. Sur la droite, au banc des avocats, il vit Don Fernando. Sa toge était posée sur la table et il étudiait des papiers. Il portait un veston noir avec un nœud papillon blanc autour du cou. Ses yeux étaient profondément cernés, et sa grosse lèvre inférieure pendait plus que d'habitude. Il faisait rouler un cigare éteint entre les doigts de sa main gauche. Leonel Torres semblait presque blotti sur son siège, avec un air épouvanté. À ses côtés se trouvait une petite jeune femme frêle et blondasse qui devait être son épouse. Le sergent Titânio Silva était assis à côté des deux agents inculpés. Les deux agents portaient l'uniforme, tandis que Titânio Silva, habillé en civil, s'était fait très élégant, avec un costume à rayures et une cravate de soie. Ses cheveux luisaient de brillantine.

La Cour fit son entrée et le procès commença. Firmino songea à enclencher l'enregistreur, mais il y renonça, la salle n'avait pas une bonne acoustique, il était trop éloigné, l'enregistrement n'aurait rien donné. Il valait mieux prendre des notes. Il sortit son carnet et inscrivit : La tête perdue de Damasceno Monteiro. Puis il n'écrivit rien d'autre, il se contenta d'écouter. Il n'écrivit rien d'autre, parce que tout ce qu'on disait, il le savait déjà : la lecture de la déposition de Manolo le Gitan sur sa découverte du cadavre, le témoignage du pêcheur qui avait pris la tête dans les filets à crevettes, les deux rapports d'autopsie. Quant au témoignage de Leonel Torres, il le connaissait aussi, car la Cour lui demanda simplement s'il confirmait ce qu'il avait dit durant l'instruction, et Torres confirma. Quand vint le tour de Titânio Silva, il confirma lui aussi.

Sa chevelure noire brillait avec éclat, ses fines moustaches accompagnaient les mouvements de ses lèvres non moins fines : bien sûr, le premier témoignage fourni durant l'instruction était le fruit d'une équivoque, parce que l'agent qui se trouvait à bord de la voiture avait sommeil, un profond sommeil le pauvre, du reste il avait pris son service à six heures du matin et n'avait que vingt ans, à cet âge-là le corps a besoin de dormir, alors oui, ils avaient effectivement conduit Monteiro au commissariat, et c'était un homme au bout du rouleau, un homme désespéré, il s'était mis à pleurer comme un enfant, il s'agissait certes d'un petit voyou, mais même les voyous peuvent inspirer pitié, et il était descendu avec un agent pour lui préparer un café. Le Président observa que pour faire un café, deux personnes, cela semblait excessif. Bah, c'est vrai, cela aurait été vrai, disaient avec désinvolture les lèvres de Titânio Silva en une sorte de murmure confidentiel, mais il aurait alors fallu parler du matériel que l'État fournissait aux commissariats, et il n'avait pas envie de critiquer l'État, il comprenait les difficultés de l'État, les fonds insuffisants à disposition du ministère compétent, la livraison de cette petite machine à café remontait à neuf ans, si la Cour voulait vérifier, le bureau de comptabilité du commissariat avait la facture dans ses archives, et comme on peut le comprendre, une machine vieille de neuf ans ne fonctionne pas parfaitement, il faut bricoler avec, augmenter ou baisser la pression, des opérations de ce genre, et pendant qu'il bricolait cette machine en compagnie du jeune agent pour amener un café au pauvre Monteiro, ils avaient entendu une détonation. Ils avaient couru jusqu'à l'étage supérieur, Monteiro gisait inanimé à côté du bureau avec un pistolet dans la main, le pistolet d'ordonnance que la recrue Ferro avait distraitement laissé sur le bureau.

Oui, parce qu'un agent n'est pas un automate et même un agent peut oublier son pistolet sur le bureau.

De ce qui suivit, Firmino réussit seulement à mémoriser quelques phrases çà et là. Il essayait d'y prêter toute l'attention possible, mais son esprit, comme privé de contrôle, errait pour son compte et le conduisait à reculons, hors de cette salle qui lui paraissait absurde, et hors de toute logique temporelle il se retrouva devant une tête coupée posée sur une assiette, puis dans un campement de gitans par une suffocante journée d'août, dans un jardin botanique devant un arbre exotique centenaire autrefois planté par un lieutenant de Napoléon. À ce moment-là, on parla des migraines de Titânio Silva, Firmino recueillit quelques morceaux de cette partie de l'audience, l'exhibition d'un certificat médical attestant que le sergent Silva souffrait de terribles migraines provenant de ses lésions à un tympan suite à la déflagration d'une mine qui avait explosé à côté de lui en Angola, mais il n'avait jamais prétendu à une pension de l'État, c'est à cause de ses problèmes qu'il avait dû rentrer chez lui pour se faire une injection de Sumigrene, en laissant le cadavre de Monteiro sur le plancher, après quoi les deux agents commencèrent de balbutier qu'en effet, à présent, ils comprenaient, ils se rendaient compte qu'ils pouvaient être accusés de dissimulation de cadavre, mais ce soir-là ils n'avaient pas pensé au code pénal, qu'ils connaissent d'ailleurs mal, ils étaient tellement angoissés, tellement impressionnés, qu'ils avaient

emporté le corps et l'avaient laissé dans le parc municipal. C'est Titânio Silva qui se chargea de répondre
aux questions à propos des brûlures de cigarette sur
le cadavre de Monteiro. Tandis qu'il écoutait ses
paroles, comme atténuées par une couche de ouate
et en même temps très aiguës, Firmino se rendit
compte qu'il commençait de transpirer, comme si un
feu le brûlait, et les lèvres de Titânio Silva continuaient d'expliquer à la Cour, avec une parfaite
désinvolture, qu'il avait fait mettre dans son commissariat des panneaux avec l'inscription « Défense de
fumer », parce que comme le disaient les scientifiques
et comme les États civilisés le faisaient imprimer par
obligation légale sur les paquets de cigarettes, le tabac
provoque le cancer. Quelqu'un, dans la salle, eut un
rire stupide, et curieusement Firmino reçut ce bref
rire comme un signe de démence, il s'aperçut que sa
main avait un léger tremblement et il écrivit mécani-
quement : rire. Le Président demanda alors si les avocats, avant de prononcer leur plaidoirie, voulaient
faire une déclaration, l'avocat de la défense se leva,
un petit homme ventru et arrogant, il affirma qu'une
chose s'imposait au vu des actes du procès, une question de principe, ni plus ni moins, de principe, sa
voix était sèche et péremptoire, Firmino essaya de lui
prêter attention, mais comme pour protéger son
intégrité psychologique qu'il sentait menacée par ces
paroles, il réussit seulement à noter dans son carnet
des phrases qui lui parurent déconnectées : compor-
tement héroïque pendant la guerre d'Afrique,
médaille de bronze du mérite militaire, dévouement

à la nation, sens élevé du patriotisme, défense des valeurs, lutte contre la criminalité, foi absolue en l'État. Puis il y eut un intervalle, de peu de secondes certainement, même si elles parurent interminables à Firmino, une sorte de limbe où son imagination le renvoya à une maison blanche du littoral de Cascais et au visage de son père, à une mer bleue plissée de vagues écumeuses, à un Pinocchio en bois avec lequel le petit Firmino prenait un bain sur la terrasse dans une bassine en zinc. Le Président dit : la parole est à l'accusation. Don Fernando se leva, endossa négligemment sa toge, se plaça devant le banc de la Cour et regarda le public. Il avait le teint jaunâtre. La chair de ses joues pendait sur les côtés de son visage comme les oreilles d'un basset. Il tenait un cigare éteint dans la main, et il indiqua au moyen de ce cigare un point du plafond comme s'il indiquait quelqu'un de précis. « Je commencerai par une question que je m'adresse avant tout à moi-même », dit Don Fernando, « qu'est-ce que ça signifie, d'être contre la mort ? »

À cet instant, Firmino appuya sur le bouton de l'enregistreur.

Le train roulait dans la nuit. Firmino regarda, par la fenêtre, une grappe de lumières au loin. C'était peut-être Espinho. Il s'était installé dans le wagon-restaurant, qui était en réalité un self-service avec un petit salon au fond. Un garçon se tenait au comptoir, l'air fatigué, un chiffon à la main. Le garçon s'approcha de lui.

— Bonsoir, dit-il, je suis désolé mais vous ne pouvez pas rester ici sans consommer.

— Apportez-moi ce que vous voulez, dit Firmino, peut-être un café.

— La machine est éteinte, dit le garçon.

— Alors une eau minérale.

— Je suis désolé, dit le garçon, mais vous ne pouvez pas consommer car le restaurant est fermé.

— Et alors ? demanda Firmino.

— Vous ne pouvez pas rester ici sans consommer, répéta le garçon, mais vous ne pouvez pas consommer.

— Je ne comprends pas la logique de tout cela, répliqua Firmino.

— Réglementation des Chemins de Fer, expliqua placidement le garçon.

— Mais vous, qu'est-ce que vous devez faire ? demanda Firmino avec tact.

— Je dois nettoyer, Monsieur, répondit le garçon, normalement je devrais seulement faire le garçon, comme le stipule mon contrat, mais les Chemins de Fer m'imposent aussi de nettoyer, et mon syndicat ne me défend malheureusement pas.

— D'accord, dit Firmino, pendant que vous faites les nettoyages laissez-moi rester ici, je ne vous gênerai pas, et peut-être que nous nous tiendrons compagnie.

Le garçon secoua la tête en signe de compréhension et s'éloigna. Firmino prit son bloc-notes et l'enregistreur. Il réfléchit à la façon d'écrire l'article sur le procès. Il n'avait pas pris de notes, mais pour le

déroulement sa mémoire lui suffisait. Quant au discours de Don Fernando, il l'avait dans ce petit appareil, sans doute l'enregistrement n'était-il pas parfait,
mais avec un peu d'effort il réussirait à le transcrire.
Il vit d'autres lumières à travers la vitre. La Granja ?
Bon sang, il ne se souvenait plus si la Granja venait
avant ou après Espinho. Puis ce fut de nouveau la
nuit. Firmino prit son stylo et s'apprêta à transcrire
en sténographie. Il songea qu'on ne s'en rend parfois
pas compte, mais que tout peut servir dans la vie,
par exemple les cours de sténo qu'il avait suivis
autrefois. Il espéra être encore assez rapide dans cet
exercice et pressa le bouton d'écoute.

La voix venait de loin. L'enregistrement était très
mauvais, les phrases se perdaient dans l'air.

« ... question que je pose avant tout à moi-même :
qu'est-ce que ça signifie, d'être contre la mort ? . . . .
. . . .
. . . .
. . . chaque homme est absolument indispensable à
tous les autres et tous sont absolument indispen-
sables à chacun . . . .
. . . .
. . et tous sont des entités aboutissant humainement
à lui, chaque homme est la racine de l'être humain
. . . .
. . . .
. . . .
je répète, l'être humain de l'homme est le point de
référence . . . .
. . . .

l'affirmation déontologique est originairement desti-
née à contrer la négation de l'homme, elle est donc
pour l'homme son être contre la mort, mais du fait
que l'homme n'a pas d'expérience de sa propre mort,
seulement de la mort d'autrui, à partir de laquelle il
peut uniquement, par réflexion, imaginer et craindre
la sienne propre . . . .
. . . . est un fonde-
ment ultime pour tous et la condition indépassable
de toute forme d'éthique humaniste, autrement dit
de toute . . . .
. . . .
. . . . »

Le garçon s'approcha et Firmino éteignit l'enregistreur.

— Vous écoutez la radio ? demanda le garçon.

— Non, répondit Firmino, c'est un enregistrement que j'ai fait ce matin, à un procès.

— Si c'est un procès, ça doit être intéressant, dit
le garçon, il m'est arrivé d'en voir un à la télévision,
on aurait dit un film.

Puis il ajouta :

— Pour rester ici, il faudrait consommer.

— Et si je consommais quelque chose ? lui
demanda Firmino, qu'en diriez-vous ?

— On ne peut pas, répondit le garçon, c'est
interdit par les Chemins de Fer.

— Et vous savez qui c'est, les Chemins de Fer ?
répliqua Firmino.

L'homme parut réfléchir. Il appuya son balai
contre la paroi du wagon.

— Bah, dit-il, je connais seulement Monsieur Pedro, celui qui se trouve au guichet de mon service.

— Et d'après vous, ce Monsieur Pedro, c'est les Chemins de Fer ?

— Quelle idée ! répondit le garçon, il est sur le point de prendre sa retraite.

— Alors pourquoi ne pas consommer, dit Firmino, nous pourrions peut-être consommer quelque chose ensemble à cette petite table, et nous offrir un truc chaud, qu'en dites-vous ?

Le garçon se gratta la tête.

— La machine à café est éteinte, répondit-il, mais on pourrait allumer les plaques électriques.

— Bonne idée, dit Firmino, et qu'est-ce qu'on pourrait se faire sur les plaques électriques ?

— Que diriez-vous de deux œufs brouillés ? proposa le garçon.

— Avec du jambon ? suggéra Firmino.

— Avec du jambon de Trás-os-Montes, répondit le garçon en s'éloignant.

Firmino pressa le bouton d'écoute.

« *Es ist ein eigentümlicher Apparat*, c'est un appareil singulier. Ainsi, dans la lointaine année 1914, un juif de Prague inconnu qui écrivait en allemand . . . .
. . . .
. . . .
. . . . un appareil assez singulier qui perpétue une loi barbare . . . .
. . . seulement l'appareil d'une colonie pénitentiaire ou une terrible prévision de l'événement monstrueux que l'Europe allait connaître ? . . . .

. . . .
. . . .
. . . . . . monstrueux, *ungeheuer*, un monstre, un vampire qui se cache derrière la Norme Fondamentale . .
. . . .
. . . . et écrivain pragois ne pouvait pas savoir ce que le peuple de la langue dans laquelle il écrivait allait commettre . . . .
. . . .
. . . parce que, évidemment, l'homicide ne suffit pas
. . . .
. . . . la torture . . . .
. . . .
. . . . les bourreaux . . . .
. . . .
. . . . avant de tuer il faut faire souffrir, blesser, tourmenter la chair de l'homme . . . .
. . . . . . vous direz et nous dirons que personne parmi nous n'est responsable de cette monstruosité historique, mais où finit la responsabilité individuelle ? car un des fondements théoriques de la monstruosité, la torture . . . .
. . . .
. . . . »

La suite était un sifflement incompréhensible, des bruits de fond, les murmures du public. Firmino pressa sur le bouton d'arrêt. Le garçon arriva avec les œufs brouillés fumant dans la poêle, il avait toasté deux tranches de pain et les avait beurrées, il disposa les assiettes sur la petite table.

— Vous avez arrêté ? demanda le garçon.

— Malheureusement, on comprend très mal, répondit Firmino, et quand il se tourne vers la Cour sa voix se perd, on entend seulement les parasites.

— Qui est la personne qui parle ? demanda le garçon.

— Un avocat de Porto, répondit Firmino, mais on comprend seulement une ou deux phrases çà et là.

— Faites-moi écouter, demanda le garçon.

Firmino pressa le bouton d'écoute.

« . . . . . qu'on me permette donc une citation littéraire, car la littérature aussi peut aider à comprendre le droit . . . .
. . . .
. . . .
. . . . les *machines-célibataires*, comme les définissent les surréalistes français . . . des machines qui sont la négation de la vie, parce qu'elles transfèrent celle-ci sur un lit de mort . . . .
nos commissariats d'aujourd'hui, je dis bien d'aujourd'hui, en cette année de grâce qu'il nous est donné de vivre, ce sont eux nos machines célibataires . . . .
. . . . les aiguilles de la machine de cette colonie pénitentiaire ou les cigarettes écrasées dans la chair . . . .
. . . .
. . . . en lisant le document des inspecteurs du Conseil de l'Europe pour les droits de l'homme à Strasbourg chargés de vérifier les conditions de détention dans nos soi-disant pays civilisés, un document qui fait froid dans le

dos sur les lieux de détention en Europe . . . .
. . . .
. . . . »

La voix de l'avocat se perdit dans un gargouille-
ment incompréhensible.

— J'étais trop loin, dit Firmino, et puis il baisse
parfois la voix, il murmure, c'est comme s'il se parlait à lui-même.

— Essayez encore, dit le garçon.

Firmino pressa de nouveau le bouton d'écoute.

« . . . . un grand écrivain contemporain a
interprété ce récit prophétique de 1914 en aboutissant aux conclusions humanistes par lesquelles j'ai
commencé ce discours . . . .
. . . .
. . . . s'il est vrai,
comme il l'affirme, que ce récit a su donner chair et
consistance aux fantasmes du remords . . . .
. . . . mais de quelle nostalgie
s'agit-il ? d'un paradis perdu, d'une nostalgie de la
pureté, quand l'homme n'était pas encore contaminé
par le mal ? Nous ne sommes pas en mesure de l'affirmer, mais on peut dire avec Camus que les
grandes révolutions sont toujours métaphysiques et
que, comme il le soutient en se référant à Nietzsche,
les grands problèmes se trouvent dans la rue . . . . . .
. . . .
. . . .
. . . . cet homme
qui nous fait face et que je n'ai pas la moindre
crainte de définir comme ignoble en raison des tor-

tures qu'il pratique, parce que personne ne peut bien sûr imaginer que quelqu'un éteigne des mégots de cigarettes sur un cadavre, et donc . . . .
. . . .
. . . .
. . . . nos commissariats privés de contrôle juridique et de protection légale où opèrent des individus comme le sergent Titânio Silva . . . . . .
. . . .
. . . .
. . . . . »

Des bruits incompréhensibles se firent entendre et Firmino arrêta l'enregistreur.

— Il serait temps de manger les œufs, dit le garçon.

— Ils ne sont pas encore froids, répondit Firmino.

— Voulez-vous aussi un peu de ketchup ? demanda le garçon, à présent tout le monde veut du ketchup.

— Je m'en passe, dit Firmino.

— Cette phrase comme quoi les grands problèmes se trouvent dans la rue m'a beaucoup plu, observa le garçon, elle est de qui ?

— Camus, répondit Firmino, un écrivain français, mais en réalité il cite un philosophe allemand.

— Et l'avocat ? demanda de nouveau le garçon, comment s'appelle cet avocat ?

— Il a un nom compliqué, répondit Firmino, mais à Porto tout le monde l'appelle avocat Loton.

— Remettez l'appareil en marche, demanda le garçon, j'aimerais l'écouter encore un peu.

Firmino pressa le bouton d'écoute.

« . . . et quant au présumé suicide de Damasceno

Monteiro . . . .
. . . .
. . . . Jean Améry . . . .
. . . . ses pages implaca-
bles, *Diskurs über den Freitod*, enseignent que la
nausée de l'existence est une condition de base pour
la mort volontaire, mais autant que son livre, c'est sa
vie qui est fondamentale pour comprendre . . . .
. . . .
. . . . . . Jean Améry, juif d'Europe centrale, naquit à
Vienne, se réfugia en Belgique à la fin des années
trente, il fut déporté par les Allemands en 1940, s'en-
fuit du camp de concentration de Gurs et entra dans
la Résistance belge, fut de nouveau arrêté par les
nazis en 1943, torturé par la Gestapo puis déporté à
Auschwitz, il a survécu . . . .
. . . .
. . . . mais que signifie la survie ? . . . .
. . . .
. . . . je me demande pourtant . . . .
. . . .
. . . . qui s'est dédié avec une grande finesse à
la littérature écrivit en allemand et en français, je
rappelle par exemple ses études sur Flaubert et deux
romans . . . .
. . . .
. . . . mais l'écriture peut-
elle sauver d'une humiliation ineffaçable ? . . . .
. . . .
. . . il se suicide finalement à Salzburg en 1978 . . . .
. . . .

. . . . . et j'affirme donc que si Damasceno Monteiro avait voulu se supprimer, car mes profonds doutes ne peuvent être dissipés par un témoignage, oui, même si, au prix d'un effort considérable, nous étions obligés de croire à cette version . . . .
. . . . son acte de désespoir serait un acte induit, conséquence des tortures subies, comme le rapport d'autopsie le met en évidence . . . .
. . . . j'affirme que le sergent Titânio Silva en est le responsable . . . .
. . . . les méthodes dignes de l'Inquisition employées dans son commissariat . . . .
. . . .
comportements donquichottesques ? eh bien, en me concédant une dernière citation, je dirai que sur tous les problèmes essentiels, c'est-à-dire ceux qui risquent de faire mourir ou qui décuplent la passion de vivre, il n'y a probablement que deux méthodes de pensée, celle de La Palisse et celle de Don Quichotte . . . .
. . . .
. . . .
. . . .
. . . . certain que Damasceno Monteiro est mort à cause d'un café, ils veulent nous faire croire . .
. . . .
. . . .
. . . .
. . . . mais cette idiotie, offensante comme une lapalissade et entendue lors des dépositions carnavalesques faites ici même par

les accusés, touche à l'infamie . . . .
. . . . l'infamie . . . .
. . . . l'infamie, j'essaierai d'expliquer
ce que j'entends par infamie . . . .
. . . . »

Firmino pressa sur le bouton d'arrêt.

— Là, l'enregistrement a vraiment déconné, dit-il, mais je vous assure que ce moment de la harangue vous donnait des frissons dans le dos, j'aurais dû le noter immédiatement en sténo, mais je n'en ai pas été capable, et puis je me fiais à cet appareil.

— Dommage, commenta le garçon, et après ?

— Ensuite ce sont les phrases conclusives, dit Firmino, il a évoqué le cas Salsedo.

— Qui était-ce ? demanda le garçon.

— Moi non plus je ne le connaissais pas, répondit Firmino, une sale affaire arrivée aux États-Unis dans les années trente, je crois, Salsedo était un anarchiste qui fut défenestré dans un commissariat américain et la police fit passer cela pour un suicide, le cas fut porté à la connaissance du monde par un avocat qui devait s'appeler Galleani, il a conclu sa plaidoirie là-dessus, mais comme vous le voyez il n'en reste rien sur cette cassette.

Le garçon se leva.

— Nous arrivons sous peu à Lisbonne, dit-il, je dois aller préparer mes affaires.

— Vous me faites l'addition, dit Firmino, c'est moi qui paie.

— Ce n'est pas possible, objecta le garçon, je devrais vous faire un ticket et la caisse enregistre l'heure, or l'heure démontrerait que vous avez mangé à une heure où ce n'est pas autorisé.

— Je ne comprends pas la logique, répondit Firmino.

— Quatre œufs brouillés ne vont pas conduire les Chemins de Fer à la ruine, conclut le garçon, et puis je vous remercie de la compagnie, le voyage m'a paru plus court, je suis simplement désolé pour votre problème d'enregistrement, à présent je vous dis au revoir.

Firmino remisa l'enregistreur dans sa serviette et feuilleta le bloc-notes qu'il avait laissé ouvert sur la petite table. La page était blanche. La seule chose qu'il avait réussi à griffonner rapidement était la sentence. Il la relut.

« Cette Cour, en vertu des pouvoirs qui lui sont conférés par la Loi, au vu des actes du procès, et après avoir entendu les accusés, les témoins et les avocats des deux parties, condamne à deux ans de réclusion l'agent Costa et l'agent Ferro pour les délits de dissimulation de cadavre et d'omission d'actes administratifs aggravée du fait d'avoir été commis par des fonctionnaires dans l'exercice de leur fonction. Elle leur accorde le bénéfice de la conditionnelle. Elle reconnaît le sergent Silva responsable de négligence pour avoir abandonné le commissariat durant son service et le suspend de ses fonctions pour la durée de six mois. Elle l'absout pour n'avoir pas commis l'acte. »

Les premières lumières de la périphérie commençaient de briller à travers la fenêtre. Firmino prit sa serviette et sortit dans le couloir, qui était désert. Il regarda sa montre. Le train était parfaitement à l'heure.

XXI

Firmino sortit de la Faculté de Lettres et s'arrêta en haut des marches en balayant le parking du regard, à la recherche de Catarina. Le mois d'avril brillait de toute sa splendeur. Firmino observa les arbres de la place de la cité universitaire sur lesquels était en train d'exploser le vert d'un feuillage précoce.

Il retira sa veste, la chaleur était presque estivale. Il aperçut sa voiture et descendit les escaliers en agitant au vent un papier qu'il tenait à la main.

— Tu peux faire les valises, cria-t-il d'un ton triomphal, on part !

Catarina se jeta à son cou et lui donna un baiser.

— Ça commence quand ?

— Tout de suite, en théorie on pourrait même partir demain.

— C'est pour un an ?

— La bourse de un an, c'est le gars très fortiche qui l'a gagnée, dit Firmino, à moi il m'ont donné un semestre, mais c'est mieux que rien, non ?

Il baissa la vitre et commença de réciter, comme s'il rêvait :

— L'Arc de Triomphe, les Champs-Elysées, le musée d'Orsay, la Bibliothèque Nationale, le Quartier latin, six mois dans la Ville Lumière, et si on fêtait ça ?

— Allons fêter cela, répondit Catarina, mais tu es sûr que l'argent suffira pour nous deux ?

— Les mensualités sont assez élevées, répondit Firmino, il est vrai que Paris est une ville chère, mais j'ai droit aux tickets-repas du restaurant universitaire, ce ne sera pas la grande vie mais on s'en tirera.

Catarina s'engagea dans le trafic du Campo Grande.

— Où allons-nous fêter cela ? demanda-t-elle.

— Peut-être chez « Tony dos Bifes », suggéra Firmino, mais fais le tour du rond-point et conduis-moi au journal, j'aimerais régler ça tout de suite avec le directeur, de toute façon il est à peine midi.

La téléphoniste dans sa chaise roulante était en train de manger dans un petit récipient de carton argenté, en même temps qu'elle lisait son hebdomadaire favori.

— Alors, on lit la concurrence, lui reprocha Firmino en plaisantant.

Ce matin-là, la rédaction était au complet. Firmino précéda Catarina entre les bureaux, il passa devant le rédacteur en chef en lui disant aimablement « bonjour Monsieur Huppert » et entra dans la petite pièce du directeur en frappant deux coups sur la porte vitrée.

— Ma fiancée, dit Firmino.

— Enchanté, murmura le directeur.

Ils prirent place sur deux de ces inconfortables chaises en métal blanc que l'architecte moderniste avait disposées un peu partout. Comme toujours, l'air était irrespirable dans le bureau du directeur.

— Il y a quelque chose dont j'aimerais vous parler, Monsieur le Directeur, dit Firmino sans très bien savoir par où commencer.

Puis il continua, de façon précipitée :

— Je voudrais vous demander six mois de congé.

Le directeur alluma une cigarette, le regarda sans expression aucune et lui dit :

— Expliquez-vous mieux.

Firmino essaya de s'expliquer du mieux qu'il pouvait : la bourse d'étude qu'il avait gagnée, la possibilité de faire des recherches à Paris avec un professeur de la Sorbonne, évidemment il renonçait à son salaire, c'était bien entendu, mais, s'il donnait sa démission, il perdait la sécurité sociale, il ne prétendait pas que le journal lui verse les contributions mensuelles, il les paierait de sa poche, sauf qu'il ne voulait pas se trouver dans la condition de chômeur, parce que, comme le directeur le savait bien, les chômeurs, au Portugal, avaient une assistance semblable à celle des chiens errants, et puis dans six mois il reviendrait et reprendrait son emploi de toujours, c'était promis.

— Six mois c'est beaucoup, murmura le directeur, qui sait combien d'affaires vont avoir lieu, en six mois.

— Eh bien, dit Firmino, c'est la belle saison qui

commence, les vacances arrivent sous peu et les gens s'apprêtent à partir à la mer, il semble que les gens tuent moins en été, je l'ai lu dans une statistique, et le travail d'envoyé spécial pourrait être assumé par Monsieur Silva, il en avait tant envie.

Le directeur parut réfléchir et ne répondit pas. Firmino eut soudain une idée.

— Écoutez, dit-il, je pourrais peut-être vous envoyer des reportages depuis Paris, c'est une ville où il y a beaucoup de délits passionnels, et ce n'est pas n'importe quel journal qui peut se permettre d'avoir un envoyé spécial à Paris, de plus vous l'aurez gratuitement, pensez un peu à l'effet que ça fera : de notre envoyé spécial à Paris.

— Ça pourrait être une solution, répondit le directeur, mais je dois y réfléchir, nous en reparlerons demain avec calme, laissez-moi y penser.

Firmino se leva pour prendre congé. Catarina en fit de même.

— Ah, un moment, dit le directeur, il y a un télégramme pour vous, il est arrivé hier.

Il lui tendit le télégramme et Firmino l'ouvrit. Il était écrit : « Besoin de vous parler d'urgence Stop Vous attends demain à mon bureau Stop Inutile de me téléphoner Stop Cordialement Fernando de Mello Sequeira. »

Firmino lut le télégramme et regarda Catarina avec perplexité. Elle le regarda à son tour d'un air interrogateur. Firmino lut le télégramme à haute voix.

— Qu'est-ce qu'il me veut ? demanda-t-il.

Aucun des deux ne sut que dire.

— Qu'est-ce que je fais ? demanda Firmino en s'adressant à Catarina.

— Je crois que tu pourrais y aller, répondit-elle.

— Tu crois ?

— Eh bien, pourquoi pas, Porto ce n'est quand même pas le bout du monde.

— Et notre fête chez « Tony dos Bifes » ? demanda Firmino.

— On peut remettre ça à demain, répondit Catarina, allons manger un morceau à la pâtisserie Versailles, ensuite je t'accompagnerai à la gare, cela fait un siècle que je ne suis plus allée à la pâtisserie Versailles.

Comme c'était différent de voir la ville avec une belle lumière et sous un soleil resplendissant. Firmino se souvint de la dernière fois où il avait visité cette ville, un jour de décembre embrumé, quand tout lui paraissait tellement sombre. À présent Porto avait au contraire un air joyeux, vivant, animé, et les pots sur les bordures de fenêtres de la Rua das Flores étaient tous fleuris.

Firmino appuya sur la sonnette et la porte s'ouvrit par un déclic. Don Fernando était affalé dans le canapé devant la bibliothèque. Il était en robe de chambre, comme s'il venait à peine de se lever, et portait un foulard de soie autour du cou.

— Bonjour jeune homme, dit-il d'un ton détaché, je vous remercie d'être venu, installez-vous.

Firmino s'assit.

— Vous vouliez me voir d'urgence, dit-il, de quoi s'agit-il ?

— Nous y viendrons après, répondit Don Fernando, parlez-moi d'abord de vous, comment va votre fiancée, elle a obtenu son poste de bibliothécaire ?

— Pas encore, répondit Firmino.

— Et votre essai sur le roman portugais d'après-guerre ?

— Je l'ai écrit, dit Firmino, mais ce n'est pas très long, un petit essai d'une vingtaine de pages.

— Toujours votre Lukács ? demanda Don Fernando.

— J'ai légèrement corrigé le tir, expliqua Firmino, je me suis concentré sur un seul roman en m'appuyant aussi sur d'autres méthodologies.

— Racontez-moi ça, dit l'avocat.

— Le bulletin météorologique des journaux comme métaphore de l'interdiction dans un roman portugais des années soixante, dit Firmino, c'est le titre de ma dissertation.

— Un beau titre, approuva l'avocat, vraiment un beau titre. Et la méthodologie sur laquelle vous vous appuyez ?

— Essentiellement Lotman, pour ce qui regarde le déchiffrement du message occulte, expliqua Firmino, mais j'ai gardé Lukács pour ce qui concerne les raisons politiques.

— Mélange intéressant, dit l'avocat, je serais curieux de le lire, vous pourriez peut-être me l'envoyer. Et ensuite ?

— Avec ce petit essai, j'ai participé à un concours pour une bourse d'étude à Paris, et je l'ai gagné, confia Firmino avec une certaine satisfaction, j'ai un beau projet de recherche.

— Intéressant, dit l'avocat, et sur quoi porte votre projet ?

— La censure en littérature, dit Firmino.

— Diable ! s'exclama l'avocat, toutes mes félicitations, quand comptez-vous partir ?

— Le plus vite possible, répondit Firmino, la bourse démarre au moment où le candidat l'accepte, j'ai signé le papier ce matin.

— Je comprends, répéta l'avocat, peut-être vous ai-je fait venir ici inutilement, je ne pouvais imaginer pour vous des circonstances aussi heureuses et en même temps aussi contraignantes.

— Pourquoi inutilement ? demanda Firmino.

— J'avais besoin de vous, dit l'avocat.

Don Fernando se leva et alla à son bureau. Il prit un cigare et le caressa longuement, sans se décider à l'allumer, puis il s'affala de nouveau sur le canapé et jeta la tête en arrière en regardant le plafond.

— Je demande la révision du procès, dit-il.

Firmino le regarda avec stupeur.

— Mais il est trop tard, répliqua-t-il, vous n'aviez pas fait appel dans les délais.

— C'est vrai, admit l'avocat, cela me semblait alors inutile.

— Et le procès a acquis force de chose jugée, précisa Firmino.

— En effet, dit l'avocat, il a acquis force de chose jugée. Et moi, je le fais rouvrir.

— Avec quels arguments ? demanda Firmino.

Don Fernando se tut, il se redressa et sans se lever il ouvrit une petite crédence à côté du canapé, prit une bouteille et deux verres.

— Ce n'est pas un porto exceptionnel, dit-il, mais il ne manque pas d'une certaine dignité.

Il versa le vin et se décida finalement à allumer son cigare.

— J'ai un témoin oculaire, dit-il lentement, les choses qu'il a vues me permettent de demander la révision du procès.

— Un témoin oculaire ? répéta Firmino, que voulez-vous dire par là ?

— Un témoin oculaire de l'assassinat de Damasceno Monteiro, répondit Don Fernando.

— Qui est-ce ? demanda Firmino.

— Il s'appelle Wanda, dit Don Fernando, c'est une personne que je connais.

— Wanda comment ? demanda Firmino.

L'avocat savoura une gorgée de vin.

— Wanda est une pauvre créature, répondit-il, une de ces pauvres créatures qui circulent sur l'écorce de la planète et auxquelles le règne des cieux n'est pas promis. Eleutério Santos, dit Wanda. C'est un travesti.

— Je ne comprends pas, dit Firmino.

— Eleutério Santos, continua Don Fernando comme s'il lisait un fichier, trente-deux ans, né dans un village des montagnes du Marão dans une famille de très pauvres bergers, violé par un oncle à onze ans, ayant grandi dans un hospice jusqu'à l'âge de dix-sept ans, des petits boulots irréguliers comme débardeur de fruits à l'embouchure du Douro, un autre travail irrégulier comme aide-fossoyeur au cimetière municipal, un an d'hospitalisation à l'asile d'aliénés de la ville pour dépression, chose qui l'a fait cohabiter avec des fous furieux et des schizophrènes dans ces délicieux locaux asilaires qui sont la fierté de notre pays, actuellement connu sous le nom de Wanda, fiché pour prostitution sur la voie publique de Porto, quelques petites crises dépressives de temps en temps, mais il peut dorénavant se payer un médecin.

— Vous le connaissez bien, observa Firmino.

— J'ai été son avocat contre un client occasionnel qui l'avait balafré durant une rencontre en voiture, dit Don Fernando, un petit sadique qui avait cependant un peu d'argent, Wanda s'en est bien tirée.

— Et le témoignage ? demanda Firmino, parlez-moi de ce témoignage.

— En deux mots, expliqua Don Fernando, Wanda se trouvait dans la rue qu'elle fréquente, il semble qu'il y avait peu de travail ce soir-là, elle s'est donc déplacée dans une rue latérale qui n'était pas dans sa zone et a trouvé là le maquereau qui avait le contrôle de cette rue et qui l'a agressée. Wanda s'est défendue et il en est résulté une bagarre. Une patrouille de la Guarda Nacional passait par là, le maquereau s'est enfui, Wanda est restée à terre, ils l'ont chargée dans leur voiture et l'ont emmenée au commissariat, dans la chambre de sûreté, ou plutôt ce qu'ils appellent chambre de sûreté, une quelconque pièce en mauvais état qui communique avec les bureaux. Mais le hasard fait que les policiers de service avaient le sens du devoir et qu'ils l'ont inscrite dans le registre des arrestations. Sur ce registre, on peut lire : Eleutério Santos, entrée vingt-trois heures. Et ils ne peuvent plus le falsifier, ce registre.

L'avocat se tut, dessina des bouffées de fumée dans l'air, fixa de nouveau le plafond.

— Et puis ? demanda Firmino.

— Et puis la patrouille qui l'avait arrêtée s'en est allée parce qu'elle avait fini son service, et Wanda est restée dans cette petite pièce qui communique justement avec les bureaux, elle s'est étendue sur le banc et s'est endormie. Des hurlements l'ont réveillée vers minuit, elle a entrouvert la porte et a regardé par la fente. C'était Damasceno Monteiro.

L'avocat fit une pause et écrasa son cigare dans le cendrier. Ses petits yeux noyés dans la graisse fixaient un point éloigné.

— Ils l'avaient attaché sur une chaise, il était torse nu et le sergent Titânio Silva lui éteignait des cigarettes sur le ventre. Étant donné qu'on ne peut pas fumer dans ce commissariat, Damasceno Monteiro était un excellent cendrier pour éteindre les mégots. Titânio voulait savoir qui avait volé l'héroïne de la fourniture précédente, car c'était la seconde fois qu'il se faisait rouler, Damasceno jurait qu'il n'en savait rien, que c'était son premier vol à la *Stones of Portugal*. À un certain moment, Damasceno a crié qu'il allait le

dénoncer, que tout le monde allait savoir que le sergent Titânio Silva contrôlait le trafic d'héroïne à
Porto, et Titânio a commencé de bégayer et de sautiller comme un endiablé, mais ces détails sont super-
flus, j'y reviendrai éventuellement plus tard, il a sorti
son pistolet et lui a tiré un coup à bout portant dans
la tempe.

L'avocat se versa un autre petit verre de porto.

— Cela vous semble intéressant ? demanda-t-il.

— Très intéressant, répondit Firmino, et comment cela continue-t-il ?

— Titânio a dit à l'agent Costa d'aller chercher le
couteau électrique dans la petite cuisine de l'étage
inférieur. L'agent Costa est remonté avec le couteau
électrique et Titânio lui a dit : coupe-lui la tête,
Costa, il a une balle dans le cerveau qui peut nous
compromettre, tu iras jeter la tête dans le fleuve, avec
Ferro nous nous occupons du corps.

L'avocat le regarda de ses petits yeux très mobiles
et demanda :

— Ça vous suffit ?

— Ça me suffit, répondit Firmino, mais moi ?

— Voyez-vous, expliqua Don Fernando, toutes
ces choses je les sais déjà, mais je ne peux pas les
écrire dans un journal. Et comme j'ai accompagné
ce matin Wanda faire sa déposition aux autorités
compétentes, je voudrais qu'elle raconte aussi ce
qu'elle sait à un journal, disons que c'est une sorte
de mesure préventive, avec tous les accidents de la
route qui ont lieu dans ce pays.

— J'ai compris, dit Firmino, et où est-ce que je peux trouver cette Wanda ?

— Je l'ai cachée dans la ferme de mon frère, répondit Don Fernando, elle y est en parfaite sécurité.

— Quand pourrai-je lui parler ? demanda Firmino.

— Tout de suite au besoin, expliqua l'avocat, mais il serait préférable que vous y alliez seul, si vous voulez je téléphone à Manuel, il vous conduira avec ma voiture.

— D'accord, dit Firmino.

L'avocat téléphona à Monsieur Manuel.

— Le temps de sortir la voiture du garage, dit-il en reposant le combiné, pas plus de dix minutes.

— Je sors l'attendre dans la rue, dit Firmino, l'air est particulièrement agréable aujourd'hui, vous avez senti le parfum de la nature, avocat ?

— Et votre bourse d'étude ? demanda Don Fernando.

— Eh bien, dit Firmino, pour cela il y a du temps, elle dure six mois, qu'importe si je perds quelques jours, je téléphonerai tout à l'heure à ma fiancée.

Il ouvrit la porte, comme pour sortir. Mais il s'arrêta sur le seuil.

— Avocat, dit-il, personne ne croira à ce témoignage.

— Vous pensez ? demanda l'avocat.

— Un travesti, dit Firmino, l'hôpital psychiatrique, fiché pour prostitution. Et quoi encore ?

Il était sur le point de refermer la porte derrière

lui. Don Fernando l'arrêta d'un geste de la main. Il se leva péniblement et se dirigea vers le centre de la pièce. Il pointa son index vers le plafond, comme s'il s'adressait à l'air, puis le pointa en direction de Firmino, puis le dirigea sur sa poitrine.

— C'est une personne, dit-il, souvenez-vous-en, jeune homme, avant toute chose c'est une personne.

Puis il continua :

— Essayez d'être délicat avec elle, ayez beaucoup de tact, Wanda est une créature fragile comme le cristal, un mot de travers et elle éclate en sanglots.

Helsinki, le 30 octobre 1996

Note

Les personnages, les situations et les lieux ici décrits sont le fruit de la fantaisie romanesque. Il n'y a de réel que le point de départ : la nuit du 7 mai 1996, Carlos Rosa, citoyen portugais, âgé de vingt-cinq ans, a été tué dans un commissariat de la Guarda Nacional Republicana de Sacavém, à la périphérie de Lisbonne, et son corps a été retrouvé dans un parc public, décapité, avec des marques de sévices.

Certains thèmes juridiques du présent livre ont bénéficié des amicales conversations que j'ai pu avoir avec le juge Antonio Cassese, président du Tribunal Pénal International de La Haye, ainsi que de la lecture de son livre *Umano-Disumano. Commissariati e prigioni nell'Europa di oggi* (Laterza).

D'une certaine façon, ce roman a aussi une dette à l'égard de celui que j'appelle Manolo le Gitan : personnage de fiction, ou plutôt entité collective coagulée en une entité individuelle dans une histoire qui, sur le plan de ce qu'on appelle la réalité, lui est totalement étrangère, mais qui participe de certains récits inoubliables entendus dans la bouche de vieux gitans lors d'un après-midi déjà lointain à Janas, durant la cérémonie de bénédiction des bêtes, quand ce peuple nomade possédait encore des chevaux.

Je remercie Danilo Zolo des importantes informations d'ordre technique qu'il a eu la gentillesse de me donner, ainsi que Paola Spinesi et Massimo Marianetti du soin et de la patience qu'ils ont mis à dactylographier le manuscrit original.

Il me reste à dire que Damasceno Monteiro est le nom d'une rue d'un quartier populaire de Lisbonne où il m'est arrivé d'habiter, et que j'ai volé les premières phrases de la harangue de l'avocat Loton au philosophe Mario Rossi. Le reste du discours appartient seulement à la culture et aux convictions de mon personnage.

A. T.

Nocturne Indien
Christian Bourgois, 1987
et « 10/18 », n° 1916

Petits malentendus sans importance
Christian Bourgois, 1987
et « 10/18 », n° 1999

Femmes de Porto Pim
Christian Bourgois, 1987
et « 10/18 », n° 2155

Le Fil de l'horizon
Christian Bourgois, 1988
et « 10/18 », n° 2112

Dialogues manqués
Christian Bourgois, 1988

Le Jeu de l'envers
Christian Bourgois, 1988
et « 10/18 », n° 2064

Les Oiseaux de Fra Angelico
Christian Bourgois, 1989

Les Cartes du désir
Idea books, 1989

La Tentation de Saint Antoine
(en coll. avec Antonio Porfirio)
A. Biro éditeur, 1989

Une malle pleine de gens
Christian Bourgois, 1992

L'Ange Noir
Christian Bourgois, 1992
et « 10/18 », n° 2333

Requiem
Christian Bourgois, 1994
et « 10/18 », n° 2467

Rêves de rêves
Christian Bourgois, 1994

Piazza d'Italia
Christian Bourgois, 1994
et « 10/18 », n° 2660

Les Trois Derniers Jours de Fernando Pessoa
Seuil, « Bibliothèque du XXᵉ siècle », 1994

Pereira Prétend
Christian Bourgois, 1995
et « 10/18 », n° 2920

Fernando Pessoa
F. Hazan éditeur, 1997

La Gastrite de Platon
Mille et une nuits, 1997

La Nostalgie, l'Automobile, et l'Infini
Seuil, « Bibliothèque du XXᵉ siècle », 1998

S.N. FIRMIN-DIDOT AU MESNIL-SUR-L'ESTRÉE
DÉPÔT LÉGAL : MARS 1999. N° 32460 (46036).

Collection Points